Hemos adoptado

Hemos adoptado

GUÍA DE LA POSTADOPCIÓN

Berta Boadas, Cristina Sallés,
Meritxell Pacheco y Sandra Ger.

LAROUSSE

EDICIÓN

Dirección editorial
Jordi Induráin Pons

Edición
M. Àngels Casanovas Freixas

Redacción

Equip d'Atenció a la Família i d'Adopció de la Fundació Blanquerna Assistencial i de Serveis (FBAS)

Berta Boadas Mir
Trabajadora social y pedagoga. Coordinadora del equipo de Familia y Adopción de la FBAS. Profesora de la Facultad de Educación Social y Trabajo Social Pere Tarrés, Universidad Ramon Llull. Coordinadora del Máster en Acogimiento, Adopción y Postadopción UB-URL.

Sandra Ger Cabero
Psicóloga y psicoterapeuta. Máster en Psicología Clínica y Psicoterapia (URL). Doctoranda en Psicología sobre Adopción.

Cristina Sallés Domenech
Maestra y pedagoga. Doctoranda en Investigación sobre Adopción y Escuela. Profesora de la UNED.

Meritxell Pacheco Pérez
Doctora en Psicología. Psicóloga y Psicoterapeuta del Servicio de Atención y Asesoramiento Psicológico (FBAS). Profesora de la FPCEE Blanquerna, Universidad Ramon Llull. Codirectora del Máster en Acogimiento, Adopción y Postadopción UB-URL.

Marta Canal Ortega
Psicóloga y maestra. Coordinadora y psicóloga del Departamento de Orientación Psicopedagógico de la Escuela Pérez Iborra, Barcelona.

Laia García Sala
Psicóloga, psicoterapeuta y neuropsicóloga. Doctoranda en psicología sobre Identidad y Adopción. Profesora del Instituto Bonanova de Formación Profesional Sanitaria, Barcelona.

Edición gráfica
Eva Zamora Bernuz

Maquetación
Jan Jurstrand

Cubierta
Mònica Campdepadrós

Fotografías
© Marta Bacardit
Excepto: © Pepa Simón (pp. 10, 24, 51, 102), © Irma López Verge (pp. 22, 85).

Fotografías de Cubierta
© Marta Bacardit

Agradecimientos a M. Josep Alsina Graells, Amaica Alsina Graells, Cintia Iglesia Albiol, Anna M. Ajenjo Lara, Elías Serrano Ajenjo, M.ª Antonia Badia Selva, Meritxell González Ferran, Carles Escofet Roig, Laura Escofet González, Gina Escofet González, Antonio López Ballesteros, Irene Feliu Pérez, Mar Haibo López Feliu, Laura Lilan López Feliu, Rosa López Esteve, Sangam Esteve López, Anna M. Lombarte Pérez, Netsanet Lombarte Pérez, Margarita Viarnés Miranda, Ash Viarnés Miranda, Antònia Jiménez Baño, Rafael Merino Pareja, Roc Merino Jiménez, Sol Merino Jiménez, Olga Pascual Puig, Joan Gubern Pascual, Laia Gubern Pascual, Xavier Giménez Pascual, Monica Merín Sales, Meritxell Torra Merín, Aina Torra Merín, Martí Torra Merín, Montserrat Sales Peraita, Naira Pellicer Bacardit, Diana Pérez Sarasa, Irma López Verge, Rafael Gisbert Riquelme, Jordi Gisbert López, Jaume Gisbert López, María José Simón Aragón, Joaquín Gómez Pérez, Jaime Gómez Simón, Daniel Gómez Simón

© 2012 Larousse Editorial, S.L.
Mallorca 45, 3.ª planta - 08029 Barcelona
Tel.: 93 241 35 05 – Fax: 93 241 35 07
larousse@larousse.es - www.larousse.es

ISBN: 978-84-15411-09-3
Depósito legal: B.7917-2012
1E1I

Prólogo

En el inicio de todo libro aparece la presentación y la motivación de lo que ha llevado a escribirlo y a publicarlo. En el que tenéis en las manos, ambas cosas responden al trabajo de un equipo que comparte la cotidianidad de la atención a familias con hijos adoptados no solamente desde la metodología y el ejercicio profesional sino también desde el interés real por ellas. Su confianza es para nosotras una oportunidad para acompañarlas en su devenir como familia, en sus sentimientos, preocupaciones, sugerencias, dudas, logros, ilusiones... Ordenar y poner palabras para compartir todos los temas que aquí se tratan, en un lenguaje cercano, es una oportunidad y un reto a la vez, y, conjugar todas las voces y perspectivas profesionales, un enriquecimiento mutuo.

El proceso de adopción de un niño es largo, muchas veces complicado, con un gran número de trámites y gestiones de por medio que a veces pueden desdibujar lo que realmente es el objetivo principal: convertirse en padres y ofrecer una familia a un niño que, por múltiples y diversas razones, no la tiene. Con la llegada al hogar y el título de paternidad/maternidad comienza una nueva etapa que habitualmente denominamos *postadopción*. Etimológicamente *post* significa «después», pero nada de lo que va a suceder a partir de ese momento tiene que ver con el final. Es un principio, un proceso, un nuevo recorrido en la construcción de esa relación indisoluble que supone ser padres y ser hijos con tantos momentos de encuentro como posibles situaciones de desencuentro.

Este libro está escrito desde el rol de «viajar al lado» en el que nos situamos los profesionales con los padres y sus hijos. No hay temas cerrados ni prescripciones ciertas y únicas. Cada familia debe afrontar su propia historia de relación, aunque es cierto que en la adopción hay variables que hacen necesario un mayor conocimiento y dedicación. A través de los diversos capítulos intentamos acercarnos a los temas en torno a los que se desarrolla la vida del niño y su familia tras el inicio de la convivencia. Pensando en todos ellos, ofrecemos estos capítulos y agradecemos a los responsables de la edición la posibilidad que nos han brindado de publicarlo.

Berta Boadas Mir
Coordinadora del Equipo
de Familia y Adopción
Fundació Blanquerna Assistencial
i de Serveis

Sumario

«todavía no la habíamos abrazado
y ya la sentíamos cerca»

Empezar a ser padres adoptivos

Un hijo, sea cual sea su procedencia, llega al hogar y otorga a los padres un título único y exclusivo. Quizás sea la primera vez que se obtiene, o tal vez ya se haya conseguido antes. En cualquier caso, lo que es seguro es que a quien lo ostenta le permite tener el privilegio de compartir la vida con ese niño o niña que se presenta como un nuevo miembro en la familia, que va a depender de sus padres durante mucho tiempo para crecer, alimentarse, educarse, construir su personalidad, etcétera, y que poco a poco será autónomo, manifestará sus deseos y preferencias, tomará decisiones, querrá estar más cerca o más lejos...

Ser padres a través de la adopción supone, además, haber llevado a cabo un proyecto de familia que quizás hace mucho tiempo que se anhelaba y que ha requerido un proceso más o menos largo en el que también han intervenido instituciones públicas, profesionales, gestores e intermediarios. Todo lo pasado parece que se olvida cuando por fin los padres se encuentran ante aquella persona que va a ser su hijo a partir de ese momento, tanto legal como afectivamente. ¿Se da por finalizada, por tanto, esa historia de espera, ilusión, desánimo, esperanza, angustia y paciencia? De ningún modo, la historia continúa y ahora adquiere otra dimensión. Se es padre de un niño al que no se ha engendrado, pero al que se desea y que entra a formar parte de la vida de esa familia para siempre. La adopción configurará decisivamente la vida de los padres adoptivos desde el primer encuentro con el que será a partir de entonces un miembro más de la familia.

El primer encuentro, las primeras reacciones

«El día que recibimos la asignación de nuestra hija sentimos que ya formaba parte de la familia; era como si la conociéramos. Todavía no la habíamos abrazado y ya la sentíamos cerca.»

Los padres que han adoptado o están en proceso de adopción saben que en el momento en que conocen el nombre, la fecha y el lugar de nacimiento, la fotografía y la mucha o poca información que se facilita sobre esa criatura su vida debe comenzar a reorganizarse, que entran en un tiempo de espera que puede ser más o menos largo, pero que tiene un final en ese encuentro tan anhelado. Y cuando se produce, se acumulan las sensaciones entre lo racional y lo emocional. Reconocer en ese niño que se les presenta al que va a ser su hijo quizás no sea fácil. Se había hablado de la prudencia, la contención y el respeto para no desbordarse ni resultar avasallador. También de que no había que estar pendientes de si todo es perfecto y ese hijo es como se había imaginado. El encuentro es real entre personas extrañas que van a compartir a partir de entonces, si todo sigue su curso como está previsto, muchísimo tiempo. De hecho, ser padre es algo que permanece en el tiempo, sin fecha de caducidad alguna, a no ser que determinadas circunstancias graves lleven a la ruptura de esa relación.

El primer encuentro que se produce entre padres que han adoptado e hijos tiene lugar entre personas extrañas que van a compartir, a partir de entonces, muchísimo tiempo si todo sigue su curso como está previsto.

¿Qué sucede en ese primer encuentro?

● «Nos miró con cara de sorpresa, se acercó, cogió la pelota que le dábamos, se giró y se fue a un rincón a mirar detenidamente el juguete. Al cabo de un rato volvió, la dejó en el suelo y se la tiró a mi marido. Estábamos tensos, no sabíamos qué hacer. Tenía 3 años y no entendía lo poco que le decíamos pero no nos quitaba la vista de encima. Sin embargo, al tirar la pelota había decidido que quería algo con nosotros, o mejor dicho, con él, porque a mí me ignoró durante la primera hora.»

● «Cuando nos la entregaron sonreía y cuando la cuidadora se alejó comenzó a llorar y a girarse hacia ella con toda la energía que tenía. ¡Qué momento más difícil!

Tienes que consolar esa tristeza y contener aquellos gritos que te resultan desgarradores. Te dicen que la distraigas, que seas cariñosa con ella y, sin embargo, no la conoces, no sabes casi cómo cogerla ni si le vas a hacer daño. Por suerte, nuestro hijo le enseñó una galleta y aquí empezó un flirteo entre los dos que acabó en sonrisas y lágrimas por parte de todos. Fue un momento realmente estresante y agotador a nivel emocional y lo recordaremos siempre, pero era su despedida y al menos supimos que se había dado cuenta.»

Quizás ese niño o esa niña no sea realmente como uno lo soñó o se lo imaginó. Tal vez su aspecto no sea agradable, puede que su olor sea extraño, que su mirada no comunique nada, que llore cuando vea a esos adultos tan raros que van a ser sus padres, que los observe desde la distancia... Todo esto no debe sorprendernos, puesto que ya hubo avisos, anticipaciones y cierta preparación. El entorno y el contexto puede que también sea sorprendente.

> «Nos enseñaron el centro y la habitación donde había estado nuestro hijo.»

O por el contrario:

> «Detrás de nosotros se cerraban las puertas y no pudimos ver más allá de la sala preparada para recibir a los padres.»

Un par de maestros decidió organizar juegos en el patio del orfanato:

> «Aquel día hacía sol, por fin, y los dejaban salir fuera aunque cada uno iba por su lado. Nos pusimos a nuestro hijo al lado y empezamos a organizar un corro con los demás niños y a cantar canciones y dar palmas. Quizás fuimos un poco atrevidos pero nadie nos dijo que no podíamos hacerlo y la verdad es que nos fuimos con un grato recuerdo a la vez que con la angustia de ver la poca estimulación que tenían aquellos críos en algo que para nosotros es tan básico como el juego en grupo.»

Muchos padres manifiestan que, al tener en brazos a su hijo, desean viajar con él lo antes posible a su hogar y empezar allí esa nueva vida de familia, en casa, donde uno se siente a gusto y controla el entorno, donde hay tanto que hacer, enseñar y compartir. Esas prisas pueden entenderse, pero si hay que pensar en el niño habrá que tomarse tiempo para que primero pueda acostumbrarse a sus padres un poco cada día, luego despedirse, si es posible, de quienes han pasado con él una parte importante de su vida, y a partir de ahí iniciar esa mudanza vital que le llevará a un lugar nuevo con personas que no conoce pero que le prestan toda la atención, que le dicen que le quieren, que le dan regalos y le tratan con cariño, pero que también para él tienen caras extrañas, huelen distinto, hablan sin que se los entienda, y organizan a partir de entonces la vida de quien dicen que es su hijo.

Por fin ya tenemos a nuestro hijo en casa

Todos los padres, sea cual sea la procedencia de su hijo, preparan su llegada al hogar de un modo u otro, pero siempre con cariño y pensando en lo que le puede generar confort y bienestar. Incluso cuando los hijos son ya mayores, si han pasado un largo periodo fuera de casa, se espera su regreso, y es probable que sus padres les tengan esa comida que les gusta, su habitación preparada y algún detalle en particular pensado exclusivamente para ellos. Sin embargo, tras el momento del encuentro y la formalización de la adopción, los padres llegan a casa con un desconocido. Puede que, si se trata de una adopción nacional, se hayan producido visitas al nuevo hogar y un acercamiento progresivo. En los casos de adopción internacional, tal vez el niño haya visto fotografías, pero no ha podido explorar previamente ese espacio. La llegada, por tanto, ha generado unas expectativas que habría que matizar y, pensando en el niño, esos primeros días y semanas deberían ser relajados y con una agenda sin demasiada actividad.

¿Qué es lo que sucede tras ese inicio de convivencia en común? ¿Qué se espera de esos padres? A continuación, se apuntan algunas cuestiones indispensables que van a favorecer una buena adaptación, aunque no la garantizan al cien por cien, porque cada familia y cada niño es diferente.

● Padres e hijo comienzan a poner en práctica algo que ya se había anunciado: la convivencia en un espacio familiar y entre personas que todavía no se conocen. Hay que darse tiempo y limitar las visitas y las actividades que incluyan a demasiada gente o cierta agitación. Ya habrá tiempo para presentaciones. El niño ha venido para quedarse; era un proyecto y ahora es una realidad a largo plazo; es mejor, por tanto, no precipitarse.

● Las ideas preconcebidas o las expectativas de cómo iba a ser la nueva vida familiar quizás no se cumplan inicialmente. No hay que sentirse decepcionado ni frustrado. De nuevo, el tiempo va a ser un aliado. Pocas veces todo sale según lo previsto, y la tensión acumulada provocará cansancio, incertidumbre y cierto estrés. Padres e hijos son personas extrañas que en la mayoría de los casos han tenido un breve periodo para conocerse pero sin que ello supusiera posibilidad de elección. Se encuentran para avanzar y crecer como familia.

● La información que se trajo de cómo fue la vida anterior del niño va a ser de gran utilidad en estos momentos: lo que comía, cómo y con quién dormía, sus preferencias, su carácter, su predisposición a enfermar... Eso ayudará a facilitarle la estancia y a comprender sus reacciones y sus demandas.

El niño puede comportarse de diversas formas durante los primeros días de estar en casa: distante, extraño, inexpresivo o, en cambio, complaciente, atento o afectuoso. También puede que se sienta enfadado, triste o disgustado.

- El niño puede mostrarse de diversas formas en esos primeros días: distante, extraño, inexpresivo o, en cambio, complaciente, atento o afectuoso. También puede que se sienta enfadado, triste o explícitamente disgustado. Todo es nuevo y extraño para él y no está acostumbrado a nosotros ni a nuestro entorno, que se le presenta lleno de recursos y estímulos. No es algo personal, no está contra sus padres, y en realidad no sabe bien dónde se encuentra; necesita tiempo para conocer lo que está pasando y para reconocerse de nuevo a sí mismo.

- Para facilitar ese periodo de adaptación es necesaria la presencia constante y estable de los padres durante la mayor parte del tiempo. La legislación prevé el periodo de baja por maternidad/paternidad, y tras la llegada hay que ofrecer esa dedicación mínima y aumentarla si es posible. La presencia evidente de los padres aportará seguridad; la rutina ayudará a atenuar la ansiedad, y las horas de convivencia permitirán ese conocimiento mutuo e íntimo que sentará las primeras bases de la relación paterno-filial.

Conocerle y aprender a quererle

«Cuando está durmiendo nos acercamos a su cama y la miramos mientras nos preguntamos: ¿es nuestra hija? Y es que en realidad es una desconocida, preciosa, pero desconocida. Cuando ella no está delante, hablamos y nos cuestionamos algunas cosas: ¿le habrá gustado esto o aquello?, ¿se habrá molestado por algo?, cuando le hemos dicho que no tocara el horno, ¿nos ha entendido?»

Esta es una de las situaciones más frecuentes en los primeros días de convivencia. A veces ya se ha producido mucho contacto previo con el niño porque ha pasado algunos fines de semana en casa o porque en su país se permitió que desde el primer día compartiera cierto tiempo con los padres. Sin embargo, percibir ese sentimiento profundo de amor y de ilusión ante el hijo es algo que no surge como un flechazo ni aparece el primer día; es la convivencia, el trato cotidiano, esa voz, esa mirada, ese gesto, ese beso... lo que va acercando el niño a sus padres, y permite conocerse y sentir que la historia no podía ser de otro modo.

Se dice que los niños adoptados llegan a su nueva familia con una mochila cargada de experiencias previas, que pueden o no ser gratas, en su mayoría de recuerdos, de piedras o de flores. Querer al otro significa aceptarlo como es, con su carga y el peso de su pasado, pero esto no debe paralizar a sus padres ni generarles un sufrimiento constante ante las lagunas. El alto sentido de responsabilidad que sienten algunos padres de niños que han padecido circunstancias de maltrato, negligencia grave y carencias que les han arrebatado una parte de su infancia a veces los lleva a permanecer en un estado de alerta excesiva que busca la compensación de todo ese pasado desagradable. Es necesario mantener la atención y observar; es preciso anticiparse, pero todavía es más necesario mostrarse genuino, sereno y con capacidad para dejarse atraer por esa persona que ha entrado en la familia y que espera o desea, a veces sin saberlo, que le cuiden, que le ayuden, que le digan lo que hay que hacer o no, que le pongan límites; en definitiva, que le guíen y que puedan ser un anclaje al que amarrarse sin ninguna fecha de caducidad.

Cuando uno se pone en el lugar del niño, ¿cómo se sabe si también explora e intenta descubrir quiénes son aquellas personas con las que va a vivir a partir de ahora? Los niños están mucho más pendientes de lo que sucede

Es necesario estar atento y observar, así como mostrarse genuino, sereno y con capacidad para dejarse atraer por esa persona que ha entrado en la familia y que espera o desea que le cuiden, que le ayuden o que le guíen.

en su entorno de lo que los adultos podemos imaginar. Seguro que él también habrá estado estudiando a sus padres, y en función de su carácter o de su capacidad de exteriorizar emociones o de disfrutar de nuevas sensaciones que puedan resultarle gratas, les mostrará en mayor o menor medida que los puede querer. Al principio, quizás el comportamiento sea intentar seducir o, por el contrario, mostrarse distante y huraño. Los padres muchas veces no pueden interpretar lo que le sucede, pero si quieren a su hijo sabrán que deben darle tiempo, y con este aliado se irán acercando progresivamente. El niño irá percibiendo la incondicionalidad, la presencia segura, el interés por su persona, por cubrir sus necesidades para que se sienta bien, y sus expectativas acerca de esos extraños que un día lo trasladaron de lugar de residencia se irán convirtiendo en un sentimiento de pertenencia; los necesitará, buscará su ayuda, les querrá dar la mano y será capaz de llevarles la contraria porque le habrán dado permiso para hacerlo.

«Antes de adoptar me planteé si podría quererle tanto como al mayor. Ahora sé que sí y también que es de un modo diferente. ¡Me sabe tan mal no haberla podido cuidar desde que nació! ¡Me da tanta pena! Tengo ganas de llorar solo con pensar lo que se podría haber ahorrado en aquellos cuatro primeros años. Primero pensaba que se me iba a romper el corazón cada vez que la reñía, y ahora ya he aprendido a

> tratarla y a pillarle las picardías, que no son pocas. Y me la comería a besos a pesar de su mal humor y esa mirada de perdonavidas que a veces me lanza.»

Quizás, padres e hijos puedan pensar alguna vez que la historia pudo haberse construido con otros personajes. El éxito de la adopción está precisamente en la confirmación de que existió esa posibilidad, pero no se llevó a cabo, y que, aunque la perfección no existe, no se concibe la vida sin ese niño, cuya presencia es ya del todo imprescindible.

Los cambios en la pareja. Ser padre y ser madre de un hijo al que no se vio nacer

Con la llegada de un hijo, sobre todo si es el primero, la pareja sufre muchos cambios y se crea un nuevo estilo de vida, lo que no siempre es fácil. A menudo, a pesar de la alegría y la satisfacción por la llegada de un hijo tan esperado, un cambio tan grande conlleva problemas y conflictos. Si ya se tiene experiencia como padres, las comparaciones y puntos de referencia ayudan a anticipar situaciones, y los elementos de sorpresa no son ya tantos, aunque cada hijo es único y diferente. Con la llegada de un hijo adoptivo hay que añadir, además, otras variables y presiones que con seguridad habrán puesto a prueba la relación.

Cuando llega a casa el niño, los padres poco a poco se van dando cuenta de que ya nada será como antes. No solo han dejado de ser dos, sino que también deben responsabilizarse de la vida de un pequeño. En ese momento, además, pueden volver a aflorar las motivaciones que llevaron a la adopción del niño: si existió una decisión de ambos miembros de la pareja o uno lo deseaba más que el otro; si se pudo elaborar la pérdida o imposibilidad de tener un hijo biológico, etcétera. Los padres también tienen su propia mochila, y con ella deberán afrontar los cambios que conlleva la nueva situación.

En lo cotidiano se alteran las rutinas familiares y también las de cada uno de los padres. El niño, por otro lado, requiere una atención en exclusiva tanto de día como a menudo también de noche, lo que obliga a relegar a un segundo lugar la relación de pareja. Las incertidumbres, las tensiones, y quizás también el cansancio, suelen generar momentos de ansiedad que es conveniente identificar y tratar a tiempo. El aprendizaje conjunto va a ser clave en este periodo, y la distribución de los diferentes papeles debe hacerse en función de los recursos de cada uno de los padres, pero con la disponibilidad para compartir responsabilidades y tareas. Sin ánimo de excluir, se mantiene cierta tendencia a que las madres se ocupen más del niño y, si bien puede ser algo deseado y acordado, habría que evitar que ello derive en el sentimiento de sobrecarga de uno y el de sentirse desplazado en el otro.

> «No me esperaba que los primeros meses fueran tan duros. Mi mujer está tan centrada en el niño que casi no podemos hablar, pero es que además no deja que yo lo cuide; se siente tan realizada como madre que parece que todo lo demás no exista o no tenga ninguna importancia y que solo ella sepa cómo cogerlo, lo que ha de comer, lo que necesita. Incluso en algún momento siento que molesto.»

Pueden producirse este tipo de situaciones u otras parecidas, y deberían formar parte, en todo caso, de un breve periodo, y nunca prolongarse durante demasiado tiempo.

Es aconsejable cuidar la relación de pareja manteniendo los espacios de soledad e intimidad. Al principio resulta difícil, pero es preciso buscar este espacio para reforzar la relación y poder compartir los sentimientos de ambos respecto a la nueva situación.

● Compartir el cuidado del hijo, aunque uno de los dos pueda ser más resolutivo y eficaz o gestionar mejor los aspectos de la vida cotidiana del niño. Compartir en pareja contribuirá al bienestar común, disminuirá el estrés y beneficiará tanto a los padres como al hijo. Padre y madre se sentirán más integrados al involucrarse en el cuidado de los hijos, y ante las incertidumbres y el estrés de la postadopción, podrán ir conociendo a su hijo y observando conjuntamente sus avances y dificultades. La toma de decisiones es de tal envergadura y responsabilidad que el distanciamiento o la mala comunicación pueden multiplicar el malestar y la angustia de quien se encuentra liderando el día a día. A veces son las propias madres las que no saben ceder la responsabilidad a sus parejas porque las cosas entonces dejan de hacerse de una forma determinada o porque consideran que el funcionamiento será caótico. La flexibilidad y la capacidad de adaptación pasan también por unas nuevas pautas de funcionamiento en la que cada uno ocupe un lugar en el que se sienta cómodo consigo mismo, pero que también fomente la armonía familiar.

● Cuidar la relación de pareja manteniendo los espacios que quizás ya existían de soledad e intimidad. Al principio resulta difícil, y no siempre es necesario precipitarse, pero es preciso buscar este espacio para

Si el proyecto de adopción es común, habrá que esforzarse realmente para compartirlo y, aunque el niño muestre sus preferencias por uno u otro, habrá que propiciar, siempre que se pueda, el acercamiento. En ocasiones, la relación del niño con los padres crea desigualdades entre estos, por ejemplo, al pegarse mucho el niño a la madre y rechazar al padre, lo que a la larga suele generar más tensiones y malestar en la pareja.

Por tanto, para que la relación de pareja no se vea afectada por un cambio tan importante es aconsejable:

reforzar la relación, y también poder hablar y compartir los sentimientos de ambos respecto a la nueva situación.

- Pedir ayuda es aconsejable, y posiblemente en el entorno haya personas dispuestas y con las que se puede contar. A veces, el entorno familiar está deseoso de compartir la convivencia y la relación con ese niño, y los padres deben poder confiar en los abuelos, hermanos u otras personas para encontrar momentos de distracción, así como para poder estar juntos como pareja. Será también enriquecedor para el niño comprobar que hay otras personas cuidadoras entre sus familiares, que puede sentirse seguro y a gusto con ellos y que sus padres son capaces de separarse de él para volver luego a estar juntos.

- Priorizar tareas y planificar el tiempo sabiendo renunciar a lo que no es indispensable y comprendiendo que hay nuevas obligaciones y tareas y que todo no puede hacerse como antes. Con uno o más hijos en casa es imposible abarcarlo todo por falta de tiempo, por lo que se debe establecer un orden de prioridades. La planificación es necesaria pero también lo es la flexibilidad para improvisar y que las listas no se conviertan en una negociación permanente que pueda afectar a la relación.

- Establecer rutinas que proporcionen seguridad a los niños. Se trata de una estructura necesaria y que les permite anticipar qué actividad viene después, lo cual les da tranquilidad.

- Consensuar límites que posibiliten a los padres mostrarse como un equipo unido frente a los hijos. No siempre es fácil llegar a un acuerdo total porque ambos padres pueden tener prioridades distintas, pero deberán establecer conjuntamente unas normas consensuadas, presentarlas de forma clara a los hijos y procurar que estos las cumplan.

- Cuidar de uno mismo parece una de las asignaturas pendientes más extendidas entre los padres y madres que atienden las necesidades de los demás antes que las suyas. Cuidarse y mimarse tiene beneficios para uno mismo, pero, además, si no se hace, se corre el riesgo de hartarse y «quemarse». También resulta bueno para los hijos, ya que se les enseña un modelo positivo, mostrándoles que los padres también son personas que tienen sus propias necesidades.

- Dosificar las energías siempre que sea posible. La llegada del hijo adoptado al hogar con la consigna de que presenta déficits que deben ser atendidos, que hay que reparar aquello que pudo dañarse en su emocionalidad y en su salud puede situar a los padres en una dinámica de sobrecarga por múltiples obligaciones que se adquieren seguramente con gran sentido de la responsabilidad. El hijo adoptado viene para quedarse en el hogar y habrá tiempo para todo. Hay que saber reservarse, y a la vez que se es paciente con el niño, serlo también con uno mismo y con la pareja.

«¿por dónde hay que empezar a conocerle?,
¿qué pensará si le abrazo?, ¿cómo reaccionará
si lo levanto en brazos?»

Lo que se sabe y no se debe olvidar

Hay que prepararse para ser padres. Aunque parezca una afirmación obvia, no siempre se pone en práctica de la forma adecuada. Con más o menos intensidad, todo aquel que va a tener un hijo intenta anticiparse a lo que ya va a ser evidente: la familia aumentará, las relaciones serán diferentes y el lugar que ocupa cada uno se va a modificar necesariamente. Además, antes de llegar a plantearse ser padres adoptivos, habrá un periodo en el que las vivencias personales, familiares y del entorno acompañen o cuestionen esa decisión. El recorrido para ser padres adoptivos se inicia tras un periodo previo el que se habló del tema, se consideró esa posibilidad y se identificó una motivación que posteriormente puede olvidarse o diluirse en el tiempo ante la dimensión que adquiere el proceso y los muchos agentes que intervienen en él. Tras la llegada del niño a casa, algunas familias manifiestan que la preparación anterior fue escasa, que lo que acontece tiene dimensiones diferentes a las que se comentaron en el trabajo con los profesionales. La ilusión inicial no se pierde, pero se entra en la realidad, y se sitúa ante lo que ya es algo palpable, en muchos aspectos desconocido, y que resulta de la culminación de ese proyecto diseñado entre adultos que con más o menos acierto supieron ponerse en el lugar del niño/a que no ha compartido con sus padres esos meses o años previos al inicio de la convivencia.

Con la llegada de un hijo adoptado al hogar no termina nada, sino todo lo contrario, empieza una nueva historia conjunta en la que hay que capitalizar todos los recursos de los que se dispone, revisar las expectativas, y ser capaces de recuperar conocimientos que tiempo atrás ocuparon un lugar importante en la formación y la preparación previa para la adopción, en las que se hizo énfasis en el plus de complejidad, que requería, a su vez, una gran disponibilidad. Los procesos previos a la adopción de un menor tienen pleno sentido cuando se comprende que ese niño es merecedor de la protección que no encontró en su entorno o familia de origen, y que deberá de serle garantizada en ese hogar que lo recibe y por quienes que van a ser sus padres.

Con la llegada de un hijo adoptado al hogar no termina nada, sino todo lo contrario, empieza una nueva historia conjunta.

Resulta curioso escuchar afirmaciones de las mismas familias antes de la adopción, cuando se preguntaban por el sentido de la formación y del proceso de valoración que relacionan con unos profesionales que los «examinan» para saber si son o no idóneos como padres, y después, cuando ya tienen a su hijo en casa.

«Resulta algo extraño el hecho de sentirse examinado por querer ser padres y adoptar a un niño. En realidad somos personas normales, la gente de nuestro entorno también se ha sorprendido por el hecho de que tengamos que hacer tantas entrevistas y un curso de formación. Nos dicen que vamos a ser buenos padres y que si queréis lo corroboran ante quien sea. Y la verdad, a más de un padre biológico no le habría ido nada mal prepararse un poco antes.»

Tras un tiempo en casa, conviviendo con el niño, aprendiendo a ser padres y él aprendiendo a ser hijo, la opinión cambia:

«La verdad es que ahora, visto en la distancia, aún os quedasteis cortos. Hemos pensado muchas veces en lo que hablamos en aquellos encuentros. Nos habría ido bien refrescarlo porque todo ha sucedido aumentado y corregido. Y no nos está yendo mal, pero realmente este niño trae una mochila bastante pesada y conocer lo que hay dentro no va a ser cosa de cuatro días. Es un sol, pero los primeros días nos puso la casa y a nosotros patas arriba. Luego, poco a poco, nos hemos ido conociendo. Ahora ya sé qué hacer cuando algo no le sale bien o cuando se niega a comer, y mira que yo tengo experiencia y recursos con los niños, pero con mi hijo me ha costado un poco más; siento que vamos a tener que recuperar muy lentamente el tiempo que no pasamos juntos, y no estaré tranquila hasta asegurarme de que confía plenamente en mí.»

La formación y orientación de los profesionales

Los profesionales que trabajan con las familias adoptantes en el proceso previo, o acompañándolas en la postadopción, cuentan no solo con formación específica en sus respectivas disciplinas (psicología, trabajo social, pedagogía, educación social, etcétera), sino que también conocen las circunstancias en las que viven los niños que son separados de sus familias. La situación varía en función del país, de su legislación y del contexto en el que vive la población en general. Cuando se habla de adopción internacional se debe recordar que se trata de una medida subsidiaria y que, en realidad, las autoridades que en cada país deben proteger a su infancia optan por esta medida cuando internamente no encuentran los mecanismos o los recursos para poder atender de manera adecuada a los niños desamparados de su jurisdicción. En los países con un buen nivel de desarrollo económico, legislativo, social y con recursos internos para atender las necesidades de la infancia, la adopción no se externaliza, sino que se realiza dentro de las fronteras y a través de familias con las que el menor comparte nacionalidad y tal vez unas bases culturales similares.

En cualquier caso, sin embargo, el niño no va a vivir con sus progenitores, sino que una familia con la que no mantiene relación de consanguineidad lo va a incorporar como miembro de pleno derecho dotándolo de una nueva identidad legal y ofreciéndole las condiciones idóneas para que pueda crecer y desarrollarse a lo largo de su vida. Esos padres y madres que van a ser la familia del niño antes de su llegada han recabado mucha información, han asistido a sesiones de formación, se han entrevistado con profesionales y quizás, además, se hayan documentado con lecturas, hayan participado en grupos de apoyo al tiempo de espera, etcétera; y todo ello, ¿con qué objetivo?

Lo primordial, ciertamente, va a ser prepararse para ser padres, y esa mirada hacia un futuro incierto debe convertirse en un recurso más y en la generación de competencias que permitan el ejercicio responsable de dicho rol. Sin embargo, no hay que descuidar la propia historia, la narrativa que uno mismo hace sobre su pasado, su proyecto de vida, su presente y, muy importante, el camino recorrido hasta llegar a la adopción. Querer ser padres de un niño que procede de situaciones de privación, que ha vivido circunstancias que no merece, que ha sobrevivido a un trato inadecuado, o explícitamente al maltrato, que no ha sido estimulado ni se ha desarrollado como correspondería a su edad, que ha sido en todos los casos abandonado, que tiene necesidades especiales… supone no solamente una ilusión y un reto, sino también una gran responsabilidad sin fecha de caducidad, un esfuerzo y una dedicación enormes en tiempo y afecto para reparar todo ese daño.

Cuando nos preparamos para la adopción, es habitual que nuestros pensamientos nos presenten la imagen de un niño pequeño, lo más parecido posible a un bebé, al que se podrá intentar «moldear» desde el principio, minimizando así al máximo los efectos por esos primeros meses que no pasó con los que ahora son sus padres. «Cuanto más pequeño más pronto le haremos olvidar su pasado y podremos borrar las secuelas que haya dejado su situación anterior.» Sin duda, cuanto antes pase el niño a recibir atención médica, afecto, alimentación, estimulación, dedicación exclusiva y diferenciada, y todo ello en un entorno de bienestar y confort, antes le podremos comenzar a fortalecer física, psíquica y emocionalmente.

Esta situación, sin embargo, no se presenta en la mayoría de adopciones. En general, los niños que llegan a la adopción no son bebés de pocos meses (excepto los que proceden de renuncias hospitalarias, y cuando se trata de adopción nacional más que internacional), sino que ya han podido vivir las tensiones propias de haber nacido en un entorno de privaciones, clandestino, con pocos medios o en el que la administración correspondiente interviene para estudiar y valorar la viabilidad de su convivencia con los progenitores. De todos es sabido, y lo corroboran múltiples estudios realizados tanto desde la perspectiva médica como psicológica y también educativa, que el primer año de vida de un niño es fundamental para sentar las bases de la que va a ser su personalidad, para desarrollarse física y emocionalmente, para establecer un vínculo con sus cuidadores que le permita confiar en los adultos y constatar que hay unos referentes protectores y seguros que cubren sus necesidades y que le suponen el anclaje a partir del cual explora el mundo exterior. Cuando esas carencias se hacen evidentes, la afectación y las secuelas en el niño puede que requieran un largo periodo de recuperación, y habrá que aceptar que dicha recuperación quizás nunca será al cien por cien.

Para algunos padres resulta muy doloroso conocer e imaginar cómo fue el pasado de su hijo. En una ocasión, tras una de las jornadas de formación previa a la valoración de idoneidad para la adopción en la que se proyectó una filmación sobre las circunstancias en las que vivían los niños en los orfanatos de sus respectivos países (en este caso se trataba de un país del este y de un país africano), un

Adoptar implica aceptar que existe una historia que los padres adoptivos no han podido evitar y ante la cual deben posicionarse con fortaleza, recursos y responsabilidad.

padre puso de manifiesto su emoción y su dolor al pensar que el que podría ser su hijo hubiera tenido que vivir circunstancias similares. Las imágenes no eran explícitamente duras pero la carencia de atención personalizada, la falta de estímulos en general y la ausencia de calor de hogar le llevaron a poner de manifiesto la diferencia entre lo que había vivido su hijo mayor por el hecho de haber nacido en un hogar con una familia que le quiso desde el principio y que se dedicó a él, y la situación en que se habría encontrado el niño que pensaban adoptar (y que aún era del todo desconocido). Su capacidad empática le llevó a plantearse si en realidad se sentía preparado para atender el dolor que esta comparación le ocasionaba. Junto a su esposa deseaban ser padres de nuevo. La vía biológica no se lo hacía posible, y su proyecto de familia quería completarse incorporando a otro hijo. Su sentimiento no era de compasión, ni su motivación de solidaridad ante las necesidades de la infancia en el mundo. Él hubiera querido ser padre de ese niño desde el principio pero no era posible.

Adoptar implica aceptar que existe una historia que los padres adoptivos no han podido evitar y ante la cual deben posicionarse con fortaleza, recursos, responsabilidad y una gran disponibilidad personal y logística. En la formación y preparación que se realiza junto a profesionales precisamente se enfatizan todos estos aspectos. Hay que acercarse a la realidad de los niños adoptados para comprenderla primero, y para medirse con ella y decidir si se va a poder atender de manera adecuada.

Quizás en ese periodo inicial, la aportación de quienes conocen la realidad de las familias adoptivas y de los niños puede ser considerada en algún momento una estrategia de desánimo o de desmotivación. Nada más lejos de la realidad y de la responsabilidad en el ejercicio de las funciones de los profesionales que desarrollan su trabajo en los equipos de formación o en los de valoración para la idoneidad. El objetivo es siempre velar para

¿QUÉ ES LA ADOPCIÓN?

La adopción es un proceso legal, psicológico y social de integración plena y definitiva de un niño/a en el seno de una familia en la cual no ha nacido. Se trata de una medida de protección a la infancia que proporciona una relación paternofilial con los mismos efectos legales que la paternidad biológica, a la vez que desaparecen los vínculos jurídicos con la familia de origen, siempre en interés del menor.

El niño adoptado se integra en la familia con los mismos derechos y deberes que un hijo biológico. Y más allá del proceso legal se crean vínculos afectivos entre el niño y la familia adoptiva. Decidir adoptar a un menor ha de ser el resultado de una reflexión profunda y responsable.

Institut Català de l'Acolliment i de l'Adopció, Generalitat de Catalunya que se garanticen los derechos de ese niño que ya se encuentra bajo la protección del estado porque quienes debieron ocuparse de su crianza y de cubrir sus necesidades en un entorno adecuado no pudieron o no supieron hacerlo. No se trata de un simple traslado de hogar, sino que es un cambio esencial en su vida, que le llevará a construir una nueva identidad. Quienes se responsabilicen de acompañarlo en ese proceso deberán hacerlo desde la aceptación, la incondicionalidad y ese papel de padres reparadores de un pasado que no compartieron, en un presente que los convierte en una familia y para un futuro en el que habrá que continuar atendiendo todas las novedades imprevisibles que puedan surgir.

Reflexión sobre las competencias de los padres adoptivos

Cuando alguien se presenta como candidato o se ofrece para poder llevar a cabo alguna acción o proyecto, con seguridad antes habrá intentado valorar si su propuesta reúne las condiciones necesarias para ser aprobada. Del mismo modo, cuando uno se prepara para ser padre o madre adoptivo, ha tenido que responderse él mismo y a sus allegados una serie de cuestiones, algunas de ellas relacionadas directamente con sus fortalezas y debilidades, con su capacidad para asumir el cuidado de un niño con una historia previa no compartida, con interrogantes que quizás no se van a resolver jamás, con necesidades especiales que deberán ser atendidas. Situarse frente a uno mismo con sinceridad y responsabilidad, y valorar con qué recursos se cuenta y cuáles son las limitaciones que habrá que identificar e intentar paliar es un ejercicio necesario que pretende mejorar, completar y afrontar la paternidad con mayor competencia. Si pregun-

táramos a los niños adoptados con qué tipo de padres les gustaría encontrarse nos daríamos cuenta de que quizás no piden algunas de las cosas que nosotros consideramos esenciales y, sin embargo, desearían otras intangibles, que pueden estar en nuestras manos, pero que deben ser identificadas.

Todas las variables que en un momento determinado se consideran competencias parentales pueden convertirse en una limitación cuando desaparecen o se minimizan, y si resulta realmente esencial cuestionar su importancia, pueden constituir un elemento limitador. Por el contrario, todo lo que puede considerarse una limitación se torna recurso cuando se resuelve de forma positiva en aras a la mejora general de la situación, o se capitaliza para un aprendizaje que pone en funcionamiento nuevas habilidades y competencias. En este sentido, se podría encontrar muchas similitudes con los padres biológicos, que en su nuevo papel descubren de sí mismos y de su pareja «cualidades o defectos» que antes no habían imaginado o que se reafirman en sus creencias de lo que habían anticipado que podría ser. Sin embargo, en la filiación adoptiva se está tan centrado en ese gran desconocido que es el niño que ya comenzó hace un tiempo a construir su propia historia que a veces la sorpresa resulta mayor:

«Me encontré ante una madre paciente, dulce, que se transformaba cuando hablaba con nuestro hijo, que le susurraba y sabía acariciarlo; la vi diferente a lo vital, enérgica y eficaz que se había mostrado siempre hasta ese momento. La preparación para la llegada del niño había estado plagada de gestiones, listas, idas y venidas, control, lecturas, y los planes que habíamos hecho para él parecía que quedaban a un lado cuando todo adquirió otro ritmo, era como si hubiera puesto un freno. Lo hablamos y realmente aquella actitud nos estaba beneficiando a nivel familiar y había disipado algunos de mis temores porque yo me veía pidiéndole que se relajara, que no aplicara tantas normas, que le diera tiempo para adaptarse a nosotros. Lo de que a ser padre y madre se aprende practicando, es una verdad absoluta, y si además tu hijo es adoptado y ha llegado a casa con casi dos años y sin que nadie le haya sentado todavía en su regazo no solo te sorprende o disgusta, sino que también te provoca un sentimiento de inseguridad al preguntarte: ¿por dónde hay que empezar a conocerle?, ¿qué pensará si le abrazo?, ¿cómo reaccionará si le levanto en brazos?»

Es precisamente la capacidad de empatizar con la situación del hijo que va a llegar a casa a través de la adopción la que permite identificar y poner en marcha los recursos necesarios para que esa relación paterno-filial resulte adecuada y gratificante para todos. Señalaremos ahora algunas de las potencialidades y limitaciones presentes en los padres adoptivos, que se relacionan con las carencias, así como con los recursos que muestran los niños y las niñas que son adoptados. Es evidente que no todos se presentan en una misma unidad familiar ni se transforman de forma sencilla o simple; lo hacen de modo general, aunque con algunas propuestas de cambio y mejora. Podemos describir tanto recursos materiales y tangibles como los que se refieren a cuestiones relacionadas con ámbitos más subjetivos o intangibles, y que afectan a las áreas emocionales y psíquicas.

En primer lugar, situaremos el deseo y la ilusión de ser padres, de incorporar a la familia a un niño en calidad de hijo para cuidarlo, ayudarlo a crecer, quererlo, acompañarlo y construir a su lado una trayectoria vital. En su inicio puede ser un deseo narcisista que se transformará en la generosidad y entrega incondicionales que todos los padres deben mostrar a sus hijos. Cuando en ese deseo inicial hay una parte de la historia de los padres, que no pueden situarse de forma abierta y sana ante la crianza, aparecen las limitaciones sobre las que habrá que trabajar para favorecer que ese niño tenga en la familia las condiciones que precisa para su pleno desarrollo.

Parece lógico, a continuación, plantearse que el título de padre o madre se desea con exclusividad, aunque en el caso de la adopción, cuando se ha formalizado plenamente, no se comparte. Algunos padres adoptivos se sienten vulnerables ante el hecho de no haber sido los primeros en la vida de su hijo, y no les falta razón, pero ello no debe mermar la confianza en sí mismos y la firme creencia de que hay que sentirse padre y madre de primera, no en sustitución de alguien o de una categoría inferior. De lo que se aprendió quizás sea necesario recordar que ya se anticipó que no todos los niños que se dan

En la base de todo proceso de adopción se hallan el deseo y la ilusión de ser padres, de incorporar a la familia a un niño en calidad de hijo para construir a su lado una trayectoria vital.

en adopción son huérfanos; algunos de ellos han convivido con sus padres y se han tenido que separar de ellos; quizás tengan algún recuerdo, tal vez sus padres fallecieron pero hay otros familiares o puede que tengan hermanos. Ninguno pudo hacerse cargo de ellos y la adopción abrió una nueva posibilidad de la que el niño es el principal beneficiario. Ser padre aquí y ahora implica haberse ganado el puesto día a día, con dedicación, con tiempo, con amor, con más o menos acierto, pero también con disponibilidad, interés real y genuino y una gran dosis de confianza en ese papel insustituible. Tampoco los padres biológicos lo son «por generación espontánea» o «por defecto» si entendemos el concepto de paternidad en un sentido amplio. Es necesario ganarse el título de padre y madre, y hay que ostentarlo sin fecha de caducidad. Ser padre no es un derecho reconocido, y, en cambio, sí lo es que todo niño pueda crecer y desarrollarse en el seno de una familia. Ello, sin embargo, no es sinónimo de hacer borrón y cuenta nueva porque uno desea ser el único, puesto que esa sí sería una limitación de consecuencias con toda seguridad negativas. Ser padre adoptivo significa que hay que aceptar ese pasado, intentar comprenderlo y tratarlo con respeto, aunque se hubiera preferido no conocerlo o prescindir de él. Se debe convertir en un recurso para construir con el niño esa parte de la historia que no se vivió conjuntamente.

El sentido de la responsabilidad ante esa persona dependiente que es el hijo también constituye un recurso que los padres adoptivos deben estimular en sí mismos. Es cierto que no conocen ni han convivido desde el primer día con el que va a ser su hijo, pero en el momento en que el niño pasa a llevar los apellidos de sus padres, a formar parte de esa familia, se hace necesario asumir la responsabilidad de lo que pueda ir sucediendo. Ante las secuelas que puedan haber dejado las situaciones de carencia padecidas antes de la adop-

ción, se podría incurrir en el error de considerar que todo aquello que no funciona (no solamente en los primeros días de adaptación, sino también a lo largo del tiempo) se explica a partir de aquel pasado. Es necesario conocer e interpretar el pasado, pero no pueden delegarse responsabilidades cuando se es padre. Habrá que aprender y dejarse ayudar, y aceptar que el liderazgo se halla en la intimidad del hogar.

La capacidad para mostrar explícitamente afecto y para comunicar aquello que se siente y piensa a veces es insuficiente en nuestro entorno protocolarizado y lleno de instrucciones sobre lo que hay que hacer para educar a un niño. Los padres deben ofrecer a sus hijos elementos para que ellos aprendan a confiar y se sientan seguros, y la mejor forma de hacerlo será que conozcan lo que piensan, que se lo digan y que se lo muestren. La congruencia y la genuinidad son fundamentales en las relaciones entre las personas y, en este caso, es indispensable entre padres e hijos. Los temas delicados algún día tendrán que hablarse y dejaran de serlo. Los miedos ante informaciones o hechos que puedan transportar al niño a su vida anterior constituyen uno de los puntos débiles de los padres adoptivos; el tema de la revelación de los orígenes resulta especialmente importante y precisamente por ello se trata en un capítulo. No abordarlos sería una de las mayores limitaciones que se podrían establecer en una historia de paternidad adoptiva.

La paciencia es esencial para soportar ese tiempo de espera y para sentirse plenamente padres, así como para que el hijo confirme que también se siente hijo en esa familia. Las carencias afectivas de los menores que son adoptados les han privado de aprender algo tan fundamental como es la proximidad existente entre padres e hijos y esa relación de dependencia tan básica e incuestionable. La normalidad es un término que en el caso de la adopción hay que dejar para ese momento no identificable a priori en que parece que, después de un tiempo, ya se percibe cierto orden y previsibilidad. La paciencia para «volver a la vida normal» no debe tener un tiempo definido, porque quizás se alargue demasiado. O quizás haya que redefinir con paciencia qué es ahora la vida cotidiana.

La capacidad de observar y prestar atención a las características propias de ese niño es importante para ponerse en su lugar, para empatizar sin querer precipitarse. Se trata de un recurso que hay que aplicar en todas las relaciones personales, pero ante un niño al que no conocimos antes y que se nos presenta para quedarse en la familia hay que mostrarse especialmente cuidadosos, sin agobiar pero conviviendo, interaccionando, experimentando. Tal vez algunos padres ya hayan creado un guión o hayan pensado en una forma de actuar, o se hayan preparado para hacer o decir, pero...

«...y luego nada encajaba. Nos esperábamos una reacción rebelde y distante y fue todo lo contrario, complaciente y plácida. Pensamos que aquello tendría caducidad y fuimos descubriendo, sorprendidos, que nuestra hija era una niña pacífica, algo seria, que se relajaba con facilidad y que su complacencia no era de compromiso, sino que se sentía bien y así lo iba manifestando.»

O, por el contrario:

«Nos resultaba tremendamente incómodo ver cómo se entristecía y se asustaba cada vez que, estando en casa, llamaban a la puerta y nosotros abríamos. Se escondía, se agarraba a las piernas de su padre, temblaba e incluso alguna vez se hacía pis. No sabíamos cómo hacerle entender que estaba con nosotros y que nada nos separaría

pero creímos que nuestra hija lo había pasado muy mal, se había sentido insegura durante mucho tiempo. Luego, cuando quien fuera se marchaba, de nuevo nos abrazaba y a mí me llenaba de besos. Casi no hablaba pero no hacía falta. Prefiero no pensar en las veces que se la habrían llevado contra su voluntad o los cambios de casa o de centro que había vivido.»

También es importante el tiempo y la disponibilidad; ambas cosas serán imprescindibles. Todos los padres deben dedicar tiempo a sus hijos. En este sentido, el dicho que afirma que es mejor calidad que cantidad ha quedado ya un poco obsoleto. ¿Cómo podemos asegurarnos la calidad de la relación si no le hemos dedicado tiempo? A veces hablamos con los

Para asegurar una buena calidad en la relación son importantes el tiempo y la disponibilidad. Todos los padres deben dedicar tiempo a sus hijos.

padres de la «teoría del sofá». Hay que saber «perder el tiempo», sentarse sin hacer nada más que gozar de la compañía mutua, hablar, leer, escuchar música, acariciarse o simplemente observar lo que sucede tras la ventana. Este espacio y tiempo de comunicación íntima entre padres e hijos puede dar lugar al inicio de una comunicación que quizás parezca efímera, pero que puede ser importante, ya que va sentando las bases de encuentros posibles y viables; se trata de un recurso excelente para utilizarse también en momentos delicados, y cuando es el hijo el que toma la iniciativa, hay que aprovecharlo al máximo. Hay que tener en cuenta que todo lo que no se pueda comunicar a los hijos a edades tempranas no se podrá recuperar cuando estos sean mayores. La no disponibilidad cierra puertas y la falta de tiempo evita tratar ciertos temas. Una madre, sorprendida, nos relataba, cuando su hija ya llevaba un año con ellos y tenía cinco años:

«Estábamos tomándonos un helado sentadas en la terraza viendo cómo los vecinos de enfrente cargaban en el coche dos bicicletas que a sus hijos se les habían quedado pequeñas, cuando me preguntó: "¿Qué van a hacer con ellas? A lo mejor se las podríamos mandar a mis hermanos en Etiopía". Creo que en aquel momento el helado se derritió ante el sofoco que sentí. Nunca antes habíamos hablado del tema. En la sentencia ponía que no se le conocían hermanos y que su madre había muerto. Recordé lo de no cerrar puertas y aprovechar esos momentos y la insté a hablar. A veces pienso que hubiera vivido mejor sin saber todo lo que ese día me comenzó a explicar con lucidez y mucha claridad. Ahora que ya han pasado cuatro años hemos tenido otros momentos como aquel, no tan sorprendentes para mí, por suerte, pero sí intensos e interesantes, y ella los busca: "Mamá, ¿cuándo vamos a no hacer nada durante un ratito?".»

La flexibilidad para aceptar los cambios, improvisar, recolocar y revisar debe estar presente en la vida de todos. Los padres adoptivos tendrán que dar pasos hacia delante y hacia atrás, sabiéndolo de antemano y mostrándose precisamente flexibles y transigentes si ello beneficia la relación y el crecimiento familiar. No hay un solo itinerario trazado, ni una norma de crecimiento ni un protocolo de actuación en función de la edad, el país o la situación. La paternidad y la filiación adoptivas se construyen a lo largo de la convivencia y la relación. La pauta no es única y sí diferente, y quizás pueda recomendarse, pero no copiarse de forma idéntica. Un niño adoptado procede ya de circunstancias en las que quizás no haya podido decidir ni opinar, no se le haya observado detenidamente para saber lo que necesita, etcétera. No debería encontrarse ante posiciones de adultos incapaces de adaptarse a los cambios, de modificar sus pensamientos previos. ¿Será él entonces el único que deberá hacer el esfuerzo de adaptación?

Para favorecer una educación adecuada, con criterio, son importantes las aptitudes y las competencias, sabiendo poner límites y creando espacios de convivencia en los que el bienestar de todos sea un hecho. Paliar los déficits que ese hijo ha padecido anteriormente no supone que haya que sobreprotegerle, sobrealimentarle, o hacerle concesiones excesivas que le puedan confundir y darle informaciones equivocadas de lo que va a ser la vida en familia, algo que él quizá no conozca. El amor y el afecto incondicionales se muestran también tomando decisiones en la vida cotidiana que orientan y ayudan a conocer lo que se puede o no hacer, lo que se espera de uno y lo que es conveniente en cada momento. La flexibilidad que hemos mencionado no es sinónimo de laxitud, ni el miedo a mostrarse firmes debe paralizar a los padres. Educar supone conducir escuchando y atendiendo de manera adecuada cada individualidad, acompañar, apoyar y equivocarse para revisar y volver a comenzar.

Un hijo que ha sufrido carencias graves y situaciones de abandono por las que nunca debía haber pasado debe encontrar en sus padres capacidades para fomentar la resiliencia (concepto que se desarrolla de manera más amplia en otro capítulo) y enfrentarse a ese daño sufrido. Para poder ayudar al otro a convivir o superar su dolor hay que estar seguros de que se ha podido paliar el propio y que se han buscado mecanismos para sanar las heridas. Las pérdidas vividas por los adultos que ahora son padres en relación con sus seres queridos, con esa infertilidad o dificultades para tener hijos, las historias difíciles y dolorosas deben haberse trabajado a nivel terapéutico antes de la llegada del niño. Estar en condiciones de reparar significa poner en marcha estrategias «terapéuticas» informales desde una posición sana y equilibrada. La historia del pasado no se puede borrar y ha dejado huellas; se desconoce cómo puede afectar, pero se sabe que está ahí, que el hijo necesita que alguien comprenda ese dolor que le provoca malestar, angustia e inseguridad, y sus padres deben avanzar acompañando con incondicionalidad y sentido de la responsabilidad.

Y, por último, aunque podría alargarse más esta lista orientativa, debemos resaltar la capacidad de solicitar y recibir ayuda porque ante las dificultades hay que dejarse acompañar, y mantener una actitud dispuesta a solicitar y recibir ayuda es un buen indicador de competencia personal y parental. Es necesario concederse tiempo para observar, conocer y experimentar. En cambio, demorar en exceso la resolución de dudas puede constituir un riesgo. El acceso a determinados servicios puede resultar a veces complicado por la falta de información o quizás también por el pudor a situarse en una posición de vulnerabilidad. Parece que cuando nos han dicho que somos idóneos para la adopción tengamos que demostrar de manera permanente que somos merecedores de ese título y que por ello debemos tener respuestas para casi todo. Debe existir la confianza en los propios recursos, pero no puede ser algo rígido y cerrado. La capacidad de aprender permanentemente es hoy en día una cualidad muy apreciada en todos los ámbitos de la vida. Ese niño que ha llegado a casa a través de la adopción somete a sus padres a pruebas y situaciones para las que quizás no se habían preparado, que no son capaces de comprender y que les angustiarán, y que pueden resultar dolorosas e incluso a veces insoportables. Querer resolverlo en soledad y sin ayuda profesional podría resultar temerario y arriesgado. Para hacer de padres hay que abrirse a la capacidad de aprender ejerciendo en el día a día, pero sin falsas sabidurías ni soberbias, porque hay demasiadas cosas en juego: la propia estabilidad, la relación familiar, la vida de ese hijo que ha de crecer y con el que se van a compartir horas, días y años a lo largo de la vida.

Y en otro orden quizás más práctico y evidente, se deben mencionar también los recursos materiales y económicos con que cuentan los padres adoptivos para hacerse cargo de las necesidades familiares y las que se puedan generar de nuevo para atender a ese niño; lo que ofrece nuestro contexto del estado de bienestar en cuando a recursos sanitarios, educativos, culturales o de ocio. Añadiremos también la importancia de la estabilidad personal y familiar de quien adopta porque la crianza de un niño es siempre complicada, no porque sea difícil, sino por lo que supone de novedad, dedicación e incertidumbre. La fortaleza de esa unidad familiar en la que ha entrado el niño debe ser una garantía para su seguridad y estabilidad personales porque él ha sufrido ya cambios y pérdidas, y esa mudanza de vida debería ser quizás la última que realizara antes de ser una persona adulta y madura que pueda tomar sus propias decisiones.

Un entorno familiar favorable

Junto con los padres y el niño, se encuentra una familia extensa que constituye un elemento clave para facilitar la integración del recién llegado. Un niño adoptado llega a una familia y se convierte en hijo, hermano, nieto, sobrino o primo con plenos derechos de integración, merecedor de las atenciones adecuadas por parte de todos, como uno más, con derecho al cariño, a los regalos, a compartir, y también a discutir. Es diferente, como lo son cada uno de los que le rodean. Tiene sus necesidades especiales, todos tienen sus preferencias y necesidades, y la naturalidad con que se atiendan facilitará la creación de ese espacio integrado, aunque se haya llegado de un país lejano, con más edad, con un físico sin referentes en la familia y con vivencias de un pasado no compartido. No nació en el seno de la familia pero debe ser esperado con la misma ilusión y tratado con igual cariño, aunque sin compadecerlo ni sobreprotegerlo.

Para los padres es muy importante contar con el apoyo y la compañía física y

emocional de quienes son sus seres queridos, de quienes han compartido con ellos la historia previa a la adopción, seguramente con momentos de incertidumbre, dolor, angustia e incluso pérdidas. Sin embargo, ese entorno también tiene que prepararse para poder estar a la altura de lo que el niño va a necesitar. En realidad, si el proceso de integración a la familia se lleva a cabo de forma progresiva, no va a haber dificultades en la relación ni tampoco rechazos. Si las presentaciones se hacen de forma repentina y multitudinaria, quizás el niño quede abrumado y no entienda el significado de tanta gente a su alrededor.

En esta familia que recibe al niño se dan diferentes papeles y posiciones, todos ellos con protagonismo y seguramente con deseos de que todo vaya bien, y entre ellos destacan los abuelos, unos referentes especiales para sus nietos, con quienes les une una relación de complicidad envidiable. ¿Cómo se sienten los abuelos ante la llegada de un nieto procedente de otro país, de otra familia? Si las relaciones familiares son fluidas tal vez se hayan informado con sus hijos y por su parte a través de otras fuentes (siempre hay amigos o conocidos

Junto con los padres y el niño, se encuentra una familia extensa que constituye un elemento clave para la integración del recién llegado.

que tienen nietos adoptados). Puede que inicialmente se mostraran prudentes y respetuosos o, por el contrario, impacientes y con ganas de tener más información. Con la llegada del nieto se les disipan algunas dudas y casi con seguridad les surgirán otras. ¿Se podrán reconocer en ese niño de piel oscura que lleva sus apellidos? ¿Sabrán atenderlo igual que hicieron con los otros nietos? ¿Necesitará este niño más su protección? Los padres del niño probablemente insistirán en que hay que tratarle como uno más, pero los sentimientos de ternura que despierta un nieto se multiplican cuando está enfermo, cuando tiene un problema o está triste y ¿cómo no van a preocuparse si saben que ese niño ha sufrido y no tuvo antes una familia como la suya?

«Nuestro hijo y nuestra nuera nos contaron lo que les habían explicado en el curso de adopción, y luego, cuando ya tenían asignación, nos dejaron también leer lo que ponía la sentencia. Allí se explicaba que la madre del niño había muerto y que, después de preguntarle a la abuela, había dicho que no quería hacerse cargo del niño y que estaba de acuerdo en que fuera dado en adopción. Nos dolió tanto que casi lloramos. Se habla siempre del vientre, de la madre que lo vio nacer y lo abandonó, pero nunca nos habíamos planteado que constara por escrito que unos abuelos renunciaran al cuidado de un nieto. Claro que es nuestro punto de vista de un mundo con recursos, pero el día que mi nieto pueda leer la sentencia, ¿con qué cara me va a mirar? Tenía abuela y no lo quiso, y en cambio unos extraños le dan cariño y juegan con él.»

Por el contrario, hay entornos familiares que no saben incorporar con naturalidad a los niños que llegan a la familia procedentes de la adopción, y ello no favorece la integración ni la genuinidad de las relaciones. Puede que su lenguaje sea el de la sobreprotección y a nadie le gusta sentirse en inferioridad de condiciones, aunque ello otorgue ciertos privilegios y atenciones. Aunque también puede existir rechazo o la no aceptación de la decisión tomada por quienes decidieron adoptar. En cualquier caso, durante el tiempo de espera, los padres son responsables de preparar a sus familiares y aportarles elementos para que puedan contribuir en la crianza de ese niño que llegó «de fuera» pero que ya es uno más en la familia.

Las necesidades del niño adoptado

Cuando se piensa en los niños, todos tenemos nociones más o menos claras de lo que es preciso para cubrir sus necesidades en función de la edad, de lo que se conoce desde las diversas disciplinas, de lo que ha evolucionado el reconocimiento de los derechos de los menores, etcétera. Se entiende que cada niño es un individuo y, como tal, hay que reconocerle diferencias y especificidades, pero también existen términos universales que no son cuestionables. En el caso de la adopción se parte de que es una medida de protección a pesar de lo cual no se puede correr el riego de equiparación dentro de pautas de desarrollo o protocolos estandarizados de lo que debe ser o hacer un niño en una determinada etapa de su desarrollo. Se favorece la igualdad desde el reconocimiento a la diferencia para poder proporcionar aquello de lo que se carece y aumentar capacidades y recursos hasta donde se pueda en aras al desarrollo y bienestar físico, psíquico y emocional óptimos.

Un niño adoptado llega normalmente a su nueva familia en un estado de fragilidad

Un niño adoptado llega normalmente a su nueva familia en un estado de fragilidad y vulnerabilidad en cuanto a sus necesidades básicas de alimentación, atención médica, cuidados personales, atención emocional, etc.

y vulnerabilidad en cuanto a sus necesidades fundamentales de alimentación, atención médica, cuidados personales, atención emocional, bienestar físico y psíquico, referentes adultos estables a los que vincularse, etcétera. Casi con seguridad, en su etapa prenatal tampoco recibió los cuidados adecuados, y tras su nacimiento y los primeros meses de vida, resultó difícil proporcionarle todo lo que precisaba para un desarrollo inicial óptimo. Algunos de estos niños fueron abandonados al poco tiempo de nacer, y la primera parte de su vida transcurrió con personas o instituciones que quizá no tenían los recursos adecuados, ni a nivel económico ni humano. En otros casos, quizás estuvieron con su familia, y hubo alguien que los cuidó, pero no pudo continuar haciéndolo y las autoridades asumieron la responsabilidad de su protección. De cualquier modo presentarán necesidades especiales en todas las áreas de su desarrollo que habrá que compensar, no únicamente entendidas desde el punto de vista patológico o como discapacidad.

Ser padres adoptivos implica, además de todo esto, hacerse cargo de un niño que ha sido «separado» de sus progenitores y que ha podido ser adoptado tras sentenciarse su desamparo, es decir, tras reconocer pública y documentalmente que ha sido abandonado. A lo mejor, y en función de la edad, tiene recuerdos, y cuando ya se comunica con nuestro lenguaje, los comparte. En otros casos, el niño quizás fuera muy pequeño cuando todo sucedió y tal vez conserve sensaciones de la vida en el centro rodeado de adultos cuidadores, sin saber lo que era estar solo o recibir una atención exclusiva. En un momento u otro necesitará saber y comprender qué fue lo que sucedió, por qué fue abandonado y más tarde adoptado. De ello se hablará en un próximo capítulo, pero si aparece aquí es porque ese hecho explicará parte de esas necesidades no cubiertas, de ese daño todavía no reparado, de ese retraso o dificultad que ha adquirido la dimensión de necesidad especial para la que habrá que encontrar una respuesta.

Con todo ello se puede reforzar la idea de que los niños adoptados han generado estrategias que les han permitido sobrevivir a las adversidades. Sus fortalezas pueden resultar aparentes y engañosas al principio y se confirma la necesidad de contar con padres competentes y preparados para comprender y prestar atención a sus fragilidades a pesar de todo. Las pérdidas son recordadas siempre de forma dolorosa, y las posibles recaídas o repeticiones se anticipan con disgusto y temor. La fortaleza ante la pérdida puede ser solamente un comportamiento de supervivencia para conservar o mantener aquello que ofrece seguridad o resulta grato.

> «Su comportamiento en las primeras semanas nos tenía maravillados: se lo comía todo, nos sonreía con cara de agradecimiento, lo dejaba todo en su lugar, no hacía nada que no se le pidiera, al contrario, parecía mayor y tan dispuesta, pero su cara y su mirada no expresaban placidez, estaba rígida, como si cumpliera un deber. Consultamos y nos indicaron que quizás todavía no se sentía segura y que estaba reproduciendo los mismos comportamientos que en el orfanato la habían ayudado a pasar desapercibida y a sobrevivir sin estridencias.»

Hay que permitir entonces que la evolución siga sus etapas y se recupere parte de la infancia no vivida. Las secuelas dejaron un excesivo grado de autonomía y autosuficiencia, y en el nuevo hogar la niña debería descubrir y experimentar junto a sus padres el placer de ser dependiente y también cuidada.

Los padres adoptivos deben ofrecer a sus hijos todo aquello que no han tenido hasta ese momento, pero de forma dosificada. La exclusividad, la incondicionalidad, la comprensión y la contención son aspectos que el niño adoptado probablemente no ha conocido y, sin embargo, su carencia incrementa el grado de «urgencia» en que debe ser compensado. El entorno del que procede no le ha estimulado del mismo modo que una familia y, por tanto, su capacidad para comprender el nuevo orden necesita tiempo y rutinas. Para sentirse seguro necesita las mínimas sorpresas posibles, un contexto protector donde los cambios puedan ser previstos y preparados. La supervivencia debe pasar a ser vivencia en la cotidianeidad, con expectativas ajustadas y con un ritmo que pueda avanzar y retroceder con permisividad y comprensión.

La salud física y mental del niño adoptado

Los niños que son adoptados, de un modo u otro, han vivido situaciones de carencia que afectan a su desarrollo físico y mental con las consecuencias que ello supone para su posterior desarrollo. Este es uno de los temas que más preocupan a los padres adoptivos antes y después de conocer a su hijo e iniciar la convivencia con él. A pesar de la información con la que cuentan previamente, muchas veces se trata de los datos que pueden proporcionarse en ese momento y con los recursos que se tienen en el país o centro donde reside el niño en el momento de ser dado en adopción. A veces se habla de estos niños como supervivientes por la capacidad de superación que han demostrado ante la gravedad de situaciones que han tenido que vivir.

En el caso de la adopción internacional, no existe homogeneidad en el estado de salud de los menores, y sí características personales y algunas que se derivan del país de procedencia. La situación propia del país, y los recursos que se destinan a la atención a la infancia y los medios de las propias entidades que median en los procesos de adopción varían y dependen de múltiples variables difíciles de identificar a modo de causa-efecto en lo que a la salud de los niños se refiere. Sin embargo, a grandes rasgos se pueden describir algunos de los principales problemas o déficits que se presentan y que hay que considerar tanto a la llegada como en el posterior desarrollo y crecimiento del niño.

Inicialmente, el examen que se le realiza al niño debe ser amplio, y considerar tanto la búsqueda de enfermedades infecciosas como la exploración de la vista, el oído, el estado de desarrollo y crecimiento, las habilidades a nivel psicomotor y el estado de salud mental. Quizás no se tenga información previa y se desconozcan antecedentes para poder avanzar en este reconocimiento inicial, pero sí que es de todos sabido que las condiciones de vida de los centros de menores, y en especial en algunos países, afectan al niño en cuanto a su nutrición, crecimiento y aparición o persistencia de determinadas enfermedades infecciosas; además, interfieren en su buen desarrollo psicomotor, sensorial, psicológico y cognitivo.

En general, los niños procedentes de adopción presentan a su llegada un peso y una talla por debajo de la media de la población de su edad, así como carencias nutricionales. Por otro lado, es frecuente encontrarse con niños con un evidente retraso psicomotor como consecuencia de la falta de estimulación. Estas áreas son fácilmente recuperables durante el primer año, pero hay que permanecer atentos a la aparición de otro tipo de afectaciones a medio plazo, vinculadas a los aprendizajes.

En determinados casos se pueden presentar retrasos a nivel madurativo que están directamente relacionados con la institucionalización y con el periodo de permanencia del niño en un centro. Cuanto más tiempo está un niño sin cuidados adecuados y sin referentes emocionales junto a los que construir una relación de apego, mayores serán las secuelas y las dificultades para su recuperación, no solamente en el área afectiva y emocional, sino también a nivel cognitivo, ante la falta de estímulos que hayan activado procesos neuronales que deben producirse de manera temprana.

A nivel psicológico, muchos padres sienten cierto miedo por las patologías que pudiera presentar su hijo, fruto de sus antecedentes o de sus experiencias anteriores. Hay que estar atentos, sin dramatizar ni alarmarse cuando no es preciso, pero tampoco es necesario demorar la demanda de ayuda. Hay niños que presentan comportamientos agresivos, autolesivos, e incluso peligrosos ante los desajustes e incertidumbres que se le presentan en el nuevo hogar. Otros pueden mostrarse con conductas propias del estado de sobreestimulación en que se encuentran y ser diagnosticados de manera prematura como hiperactivos. O, por

Cuanto más tiempo está un niño sin cuidados adecuados y sin referentes emocionales junto a los que construir una relación de apego, mayores serán las secuelas y las dificultades para su recuperación.

el contrario, pueden tener un estado depresivo y carente de respuestas. En cualquier caso, las conductas deben remitir transcurrido un tiempo; de no ser así, es necesario solicitar ayuda especializada.

La atención que reciben los niños adoptados junto a sus padres supone un gran beneficio para su salud y un recurso fundamental para su buen crecimiento y desarrollo. La mejora en la alimentación, junto con los cuidados tanto físicos como emocionales que se les proporcionarán, generarán en el niño un bienestar que le permitirá contar con más recursos ante el esfuerzo que le supone la integración en el nuevo contexto.

«este niño trae una mochila bastante pesada y conocer lo que hay dentro no va a ser cosa de cuatro días»

Construir la relación

El niño adoptado nace en una familia y se cría en otra. Esto es algo conocido por todos, aunque no por ello menos relevante. No se trata solo de un hecho jurídico por el que se produce una relación de filiación entre personas que anteriormente no tenían relación, sino que también es algo psicológico con unas características particulares. La persona que pasa a ser hijo de alguien que no le vio nacer no por eso erradica de su vida los hechos acontecidos en el pasado; aunque en muchas ocasiones no los recuerde, están allí, e influyen en el individuo que ahora es hijo de otros.

Las personas se construyen día a día en las relaciones, y los padres tienen una posición privilegiada, aunque no por ello menos compleja, en la configuración de la identidad de su hijo. Los padres refuerzan, o en ocasiones crean, el puente entre la filiación biológica y la adoptiva; con el tiempo y grandes dosis de paciencia, esfuerzo y recursos, deberán ayudar a su hijo a integrar completamente ambas experiencias de modo que pueda tener una concepción de sí mismo armónica, sin disrupciones, sin interferencias y sin fracturas en la construcción de su historia vital y de su identidad personal. Lograrlo será cuestión de tiempo, de esfuerzo y fruto de una comunicación fluida entre padres e hijos. Será un proceso complejo en el cual los padres deberán adaptarse empáticamente al momento vital del niño, para acompañarlo en unos casos, y para esperar con paciencia en otros, así como para socorrerlo cuando sea necesario. Para ayudarle a explorar, a comunicarse, a integrarse y, por tanto, a crecer.

Los padres parten de todo lo que aprendieron durante la etapa previa a la adopción, y ahora deberán ser suficientemente valientes y responsables para no olvidarlo. Es importante que cuando se haya completado la adaptación de la familia al hijo adoptivo, el paso a la normalidad no les haga indiferentes a lo que aprendieron. Aunque los padres adoptivos sean como los demás, la filiación adoptiva tiene unas especificidades. Viven la ilusión, el reto y la alegría de ser padres, del mismo modo que los padres biológicos, pero a la vez son distintos porque sus hijos tienen un origen diferente, y este, al fin y al cabo, es el inicio de cualquier historia.

El primer paso para poder construir el puente entre la filiación biológica y la adoptiva no es solo el primero, sino que también es muy relevante. Es un proceso común a la filiación biológica, pero que adquiere connotaciones distintas cuando se trata de la adoptiva: nos referimos a la construcción del apego seguro en los hijos. Los padres deben poder generar en sus hijos patrones de apego seguro mediante los cuales ellos adquieran la confianza básica necesaria para poder explorar su entorno de forma saludable. Así, los hijos podrán desarrollar la capacidad de regular sus propias respuestas emocionales y, de forma secundaria, se estará propiciando el bienestar emocional del niño, su competencia social, su funcionamiento cognitivo y su resiliencia, entendida como la capacidad de superación ante la adversidad.

Pero, ¿qué es el apego seguro? ¿Cómo se produce este proceso y cómo contribuye al bienestar emocional? ¿Qué hay que tener en cuenta para intentar propiciar un patrón de apego seguro en los hijos adoptivos?

Los padres deben poder generar en sus hijos patrones de apego seguro mediante los cuales ellos adquieran la confianza necesaria para poder explorar su entorno de forma saludable.

El apego seguro: sentar las bases para el bienestar emocional

En primer lugar, nos centraremos en la definición y descripción del apego seguro, para posteriormente incidir en cómo este proceso contribuye al bienestar emocional y explicar qué sucede en el caso particular de la filiación adoptiva.

John Bowlby (1907-1990), médico y psicoanalista inglés, fue el creador de la teoría del apego. Fue pionero en la descripción de la relación de apego con los padres o cuidadores primarios como una «base segura» desde la que explorar el mundo. «Dadme un punto de apoyo y moveré el mundo», decía Arquímedes desde las ciencias para describir la función de la palanca. Si esta teoría se aplica a la relación paterno-filial, los padres son la base desde la cual sus hijos se impulsan; una «base segura» a la que siempre se puede regresar después de una exploración, más o menos intensa. Sin exploración no hay avance, no se progresa. Sin una base desde la que partir y a la que regresar si las cosas salen mal a menudo, uno

no se aventuraría a explorar porque lo desconocido en este caso se concibe como amenazante, o investigaría, pero de forma limitada, puesto que la mente estaría más preocupada en la accesibilidad o no del cuidador primario que en todos los matices posibles de la experiencia de exploración en sí misma.

El proceso de apego tiene lugar principalmente durante el primer año de vida, y en especial, en el octavo mes. Es un proceso necesario para la supervivencia, porque aunque los bebés nacen con la capacidad de experimentar emociones, a pesar de no saber nombrarlas, carecen de la posibilidad de autorregular la intensidad, la frecuencia o la duración de las mismas. Necesitan una relación consistente con su figura de apego (por lo general la madre) a la que, de forma innata, recurren cuando se sienten en peligro. Esta ayuda a calmar las necesidades del bebé, y así va configurando en su hijo la creencia de que el mundo es un lugar seguro, puesto que cuando se siente malestar, se es atendido con celeridad y se restablece el equilibrio. Es decir, uno puede vivir y explorar tranquilamente, puesto que cuando sucede algo malo se siente comprendido y reconfortado por su figura de apego. Cuando el niño se siente seguro y libre de amenazas es capaz de explorar más allá de la presencia de sus padres. El apego es mucho más que un vínculo emocional; es un sistema regulador de las respuestas emocionales, vital para el desarrollo socio-emocional del niño. Es un proceso que aparece en todas las culturas y que se configura a partir de lo que se ha denominado «comunicación contingente», concepto que califica a la habilidad de los padres y de su hijo de interpretar de forma correcta las señales mutuas. A modo de ejemplo, si un niño llora porque se siente apenado a causa de una frustración, la madre que se comunica contingentemente lo interpreta de forma adecuada y lo consuela. La madre que se equivoca en su interpretación y asume que el niño está teniendo una pataleta, lo ignora. El niño, entonces, se sentirá todavía más apenado y, además, desprotegido.

La comunicación contingente se encuentra en la base de las relaciones significativas y deriva en un sentimiento intenso y profundo de conexión mutua. Las manifestaciones del niño son comprendidas y atendidas de manera adecuada en un proceso relacional de colaboración mutua que crea y enriquece diariamente la relación entre padres e hijos, a la vez que contribuye a ir configurando un sentimiento de seguridad personal en el niño, ya desde que es bebé. Por tanto, este tipo de comunicación debería darse de forma óptima desde el primer momento de la vida del niño. Si una madre o un padre atienden a los gorgoritos de su bebé observándolos pacientemente, mirándole a los ojos con una mirada que esté en sintonía con lo que transmite la del bebé y responden imitando los gorgoritos y gestos de su hijo, estos padres le están transmitiendo a su hijo, desde el inicio de su vida, la idea de que es alguien importante para ellos, puesto que merece ser escuchado y comprendido, y, además, sus necesidades son atendidas de manera eficiente, es decir, con celeridad y de forma eficaz.

El bebé que se queja y es atendido de un modo adecuado va aprendiendo que el mundo es un lugar seguro en el que se atienden sus demandas. Por tanto, disminuye la percepción de amenaza, a la vez que se incrementa la capacidad de exploración. Este proceso se logra mediante lo que Siegel y Hartzel (2003) denominan ABC del apego (véase tabla adjunta).

EL ABC DEL APEGO ES LA SECUENCIA EVOLUTIVA DE: *Attunement* (sintonía), *Balance* (equilibrio) y *Coherence* (coherencia)
A Sintonía: alineación de los estados internos de la madre (o padre, es decir, del que sea el cuidador primario del niño) con los del niño, generalmente a través de la contingencia de señales no verbales mutuas.
B Equilibrio: a través de la sintonía con la madre, el niño logra el equilibrio corporal, emocional y de sus propios estados mentales.
C Coherencia: sensación de integración que el niño adquiere a través de su relación con sus padres y en la que se puede llegar a sentir internamente integrado y conectado con los demás de manera interpersonal.

El ABC del apego (adaptado de Siegel, 2005).

La comunicación contingente proporciona coherencia interna al bebé a partir de los pasos descritos en el ABC del apego. Podemos explicar el ABC del apego a partir de un ejemplo. Tomemos el caso de un bebé que llora porque tiene frío. En primer lugar, el bebé experimenta un intenso malestar, puesto que nota una sensación desagradable a la que no sabe dar sentido; en segundo lugar, el hecho de tener a un cuidador que responda en sintonía con él (A) y resuelva la causa de su malestar hace que el bebé recupere el equilibrio corporal y psíquico (B), y finalmente (C), el bebé obtiene la coherencia interna resultante del restablecimiento del equilibrio a partir de un sentimiento de conexión interpersonal con sus padres y, por extensión, con los demás. El bebé aprende que el mundo es un lugar seguro en el que sus necesidades son atendidas.

De hecho, los padres no siempre aciertan, y es posible que en ocasiones no cumplan con los ABC del apego. Tomando el ejemplo citado, podría suceder que la madre en lugar de abrigar a su hijo y cumplir así con lo que este necesita, pensara que tiene hambre e intentara alimentarlo. En este caso, el bebé no obtendría un sentimiento de coherencia interna y, además, se sentiría momentáneamente desconectado de su madre a nivel emocional. Esto no supondría una situación grave en el caso en el que la comunicación predominante entre padres e hijos fuera la contingente. Así, la relación puede soportar una desconexión momentánea, aunque siempre es preferible que los padres intenten reparar esas rupturas temporales en la relación, de manera que el hijo vaya aprendiendo que es posible la reconexión.

Las experiencias de apego a lo largo de la vida van configurando los Modelos Internos de Funcionamiento (MIF). Los MIF (véase esquema adjunto) empiezan a desarrollarse antes del primer año de vida, y son modelos mentales de sí mismo, los demás y el futuro, basados en el significado que el niño ha otorgado a sus experiencias tempranas. Están constituidos por emociones, sensaciones y percepciones, y se organizan teniendo en cuenta la disponibilidad de la figura de apego, así como la probabilidad de que uno mismo pueda provocar conductas de ayuda en los demás. Como se observa en el esquema, cada una de las variables de los MIF (apego/relaciones, acontecimientos vitales estresantes y desarrollo cerebral) influencia al resto, a la vez que contribuye a la construcción del significado del niño sobre sus experiencias tempranas. La persona va otorgándose significado a sí misma, a los demás y a las circunstancias a partir de estos Modelos Internos de Funcionamiento. Existe la posibilidad de que los MIF se vean modificados por experiencias relacionales significativas, lo cual, por otro lado, es una buena noticia para las familias adoptivas.

Modelo Interno de Funcionamiento (adaptado de Lacher, Nichols y May, 2005).

Bowlby (1973) definió el sistema motivacional de apego como: «Cualquier forma de conducta que tiene como resultado que una persona obtenga o retenga la proximidad de otro individuo diferenciado y preferido, que suele concebirse como más fuerte y/o más sabio». El apego es un sistema interactivo en el que el sentimiento de seguridad se mantiene dentro de límites confortables; cuando el niño se siente relativamente seguro es capaz de explorar más allá de la presencia de sus padres y, por tanto, de evolucionar.

Por otro lado, se han descrito distintos tipos de apego inseguro, y la situación más preocupante se produce cuando uno de ellos, el apego inseguro desorganizado, acaba derivando en un trastorno reactivo de la vinculación de la infancia o la niñez, también denominado «trastorno de apego reactivo». Este trastorno puede manifestarse cuando el embarazo se produjo en condiciones inadecuadas, ya sea por ingesta de sustancias tóxicas por parte de la madre, o por su malnutrición, y también debido a la falta de cuidados por parte de uno o dos adultos durante los primeros dos años de vida, tanto en cuanto a alimentación como con respecto a estimulación cognitiva y afectiva. También puede manifestarse cuando el trato carencial, negligente, o maltratador ha estado presente con continuidad durante la infancia temprana. Unas u otras de las situaciones descritas han estado presentes, en mayor o menor grado, en la mayor parte de los casos de los niños que acaban siendo adoptados.

Cuando el trato negativo continuado acaba derivando en un trastorno de apego reactivo nos encontramos con niños con un comportamiento afectivo inmaduro, que, por tanto, establecen contactos breves y superficiales y tienen serias dificultades para mantener relaciones de intimidad. Son niños con escasa habilidad para iniciar la mayor parte de las relaciones sociales y responder a ellas de modo adecuado al nivel evolutivo y al contexto. También existe la posibilidad de que sean niños con un comportamiento de apego no selectivo, es decir, que muestren una sociabilidad indiscriminada y no manifiesten preferencia por personas más o menos familiares.

Es importante mencionar que en la mayor parte de los casos de consultas acerca de las dificultades en los procesos de construcción del apego no se suele desarrollar un trastorno de apego reactivo, sino que suele dar lugar a dificultades, de mayor o menor intensidad, en la exploración del entorno inmediato, y estas acaban ocasionando un retraso, más o menos importante, en distintas áreas del desarrollo.

La formación del apego en familias adoptivas

La mayor parte de los niños que son adoptados previamente fueron abandonados. Y los que no lo fueron, por ejemplo, a causa de la muerte de la madre, por lo general tienen un sentimiento, más o menos consciente, de haber sido abandonados. Aunque el ingreso en una institución es una medida adecuada para alejar al niño de situaciones de maltrato, está claro que la crianza en instituciones no es la situación idónea para el desarrollo de un niño. La crianza en instituciones ha llegado a definirse como una situación de riesgo para el desarrollo del niño, puesto que la estimulación que se puede ofrecer a los niños en ese contexto no es suficiente ni en el área cognitiva, ni afectiva, ni emocional. Además, si se considera lo que se ha expuesto sobre la formación de los patrones de apego, es evidente que el niño antes de su adopción está criándose en una institución, y por tanto, está siendo atendido por múltiples cuidadores (no recibe cuidados exclusivos) y/o recibiendo la escasa atención que la mayoría de instituciones puede ofrecerle. Además, se debe tener en cuenta que los hijos adoptivos con frecuencia proceden de familias en las que fueron rechazados o tratados de manera negligente.

Puesto que gran parte de los procesos psicológicos individuales tienen un origen relacional, las experiencias traumáticas que el niño ha vivido, unidas a la vivencia de saberse abandonado al inicio de la vida, derivan con facilidad en una inseguridad relacional que procede de dificultades en la construcción de la identidad personal y que se traduce principalmente en una dificultad para poder confiar en los demás, además del temor a ser de nuevo abandonado. Podemos anticipar, en consecuencia, una dificultad en la construcción de los procesos de apego sano. Esta, que puede serlo en distintos grados, dificulta la adaptación del niño a su nuevo hogar y le hace más susceptible a desarrollar problemas psicológicos.

No obstante, sabemos que el estilo de vinculación de los padres influye en el patrón de apego que generan en sus hijos. Por tanto, es importante que en el caso de los padres adoptivos, estos resuelvan sus propias dificultades antes de la llegada de los hijos y que se esfuercen por mejorar aquello que más afecta al proceso de vinculación: el apoyo social, el estrés parental, los sentimientos depresivos y el grado de autoeficacia percibida en los padres. En el caso específico de los padres adoptivos, también afectan al proceso de vinculación con sus hijos los siguientes hechos: la calidad del proceso de revelación de los orígenes al hijo y la comunicación sobre todo lo relacionado con la adopción, el compromiso de los padres para satisfacer las necesidades del hijo, la reciprocidad, el aprendizaje de los indicadores que revelan en el niño sus estados emocionales y la preparación mental necesaria para la consumación de la adopción.

Por tanto, los padres adoptivos pueden ser tutores de resiliencia. A continuación se verá qué significa esta expresión pero, de momento, lo más importante es considerar la función reparadora de los padres adoptivos; gran

Las experiencias traumáticas que el niño ha vivido, unidas a la vivencia de saberse abandonado al inicio de la vida, derivan con facilidad en una inseguridad relacional.

parte de esta reparación de daños surge de la capacidad de la familia adoptiva para restablecer la relación de apego y tender hacia un apego seguro.

Los Modelos Internos de Funcionamiento se pueden modificar, y esto es una buena noticia para las familias adoptivas. No obstante, se trata de un proceso lento, que se produce de forma progresiva. No se trata de reemplazar los esquemas mentales previos y propios de un apego inseguro por los nuevos y propios de un apego seguro, sino que la nueva información se va asimilando y adecuando, por lo que, durante un tiempo, coexisten los esquemas mentales antiguos con los actuales, y mientras esto sucede, la persona convive con las discrepancias resultantes de tal situación. Cuando este proceso de modificación de MIF se produce durante la infancia o la adolescencia, es muy probable que el niño o adolescente, en especial el que no proviene de una crianza adecuada, no tenga la suficiente madurez psicológica como para gestionar esta situación de la manera correcta. En consecuencia, durante el periodo de modificación de Modelos Internos de Funcionamiento, es muy frecuente la aparición de problemas emocionales y/ o de conducta. En esta etapa, cuando tienen lugar estas dificultades, es muy recomendable que los padres adoptivos tomen conciencia de que se trata de un indicador de que se está moviendo algo; es un tiempo de transición difícil pero necesario para llegar a un nuevo equilibrio, mucho más saludable. Los hijos adoptados a menudo no saben pasar por esta transición de otra manera, y el papel de los padres deberá consistir fundamentalmente en acompañarlos durante todo este proceso. Con grandes dosis de paciencia y de comprensión, ayudarán a los hijos a poder resolver las discrepancias que vayan sintiendo y, por tanto, a gestionar de manera más adecuada sus procesos psicológicos.

Superar adversidades y reparar posibles daños: las Necesidades Afectivas Especiales y la resiliencia como recurso

Como se ha visto, los niños y las niñas que son adoptados, por lo general provienen de un entorno de crianza que no proporciona las condiciones de desarrollo óptimas, lo que hace que a la llegada a su familia adoptiva puedan necesitar un apoyo profesional especializado para poder compensar las carencias resultantes de haberse iniciado en el camino de la vida sin la estimulación ni los cuidados necesarios. En ocasiones, el apoyo que se precisa puede consistir simplemente en un profesor de refuerzo o en una reeducación, pero en otras pueden necesitarse tratamientos psicológicos, más o menos dilatados en el tiempo, o de distintas especialidades médicas. Pero una parte muy importante del trabajo pueden llevarlo a cabo los padres en su propia casa. Y esto se debe a que una de las necesidades principales que tienen los hijos adoptivos son las Necesidades Afectivas Especiales (NAE, Pacheco y Boadas, 2011).

El concepto Necesidades Afectivas Especiales (NAE) surgió cuando fuimos constatando en nuestro trabajo cotidiano con niños adoptivos y de acogida que estos necesitaban una atención masiva en el área afectiva. Definimos este concepto a partir del símil con el más que conocido Necesidades Educativas Especiales (NEE), que procede del ámbito educativo, y que deriva de las propuestas de integración y normalización de los alumnos con necesidades particulares de aprendizaje que describe el informe Warnock, redactado por la Secretaría de Educación del Reino Unido en 1978, y que incorporó la ley española de educación de 1990 (la LOGSE). Se considera que un alumno tiene NEE cuando presenta dificultades relevantes para aprender aquello que sería normal a su edad y, por tanto, necesita adaptaciones curriculares significativas. El alumnado con NEE es «aquel que requiera, por un periodo de su escolarización o a lo largo de toda ella, determinados apoyos y atenciones educativas específicas derivadas de discapacidad o trastornos graves de conducta». En este sentido, ingresarían en centros de educación especial únicamente los casos realmente graves en los que parece imposible la integración en la escolaridad normalizada. En el resto de los casos, lo que se pretende es potenciar los apoyos y ayudas que precisa el alumno con necesidades específicas de aprendizaje (ya sea por sus altas o bajas capacidades intelectuales, por haberse incorporado tarde al sistema educativo, o por condiciones específicas de su historia personal o escolar), de modo que pueda seguir la escolaridad normalizada.

Además de las adaptaciones curriculares que puedan necesitar algunos niños adoptados, a continuación se tratará de las Necesidades Afectivas Especiales (NAE), entendiendo que «un niño o niña tiene necesidades afectivas especiales cuando ha vivido situaciones traumáticas o de privación afectiva y necesita que se compensen dichas dificultades mediante aportaciones conscientes de afecto, haciendo énfasis en los procesos relacionales que derivan en la creación de relaciones significativas y, por tanto, en una mejor integración de sí mismo como persona y evolución como ser social» (Pacheco y Boadas, 2011).

Atendiendo a la función reparadora de la parentalidad adoptiva, vemos que un área que los padres pueden contribuir a reparar es la de las NAE de sus hijos. Es la parte del trabajo que se debe realizar con los hijos que menos se asemeja a un trabajo. Es la que tiene que ver con el hecho de potenciar los procesos emocionales y relacionales que se producen en la familia, para de este modo fortalecer los cimientos del bienestar psicológico presente y futuro. No se trata de dejarse llevar por la

Es preciso potenciar los procesos emocionales y relacionales que se producen en la familia para fortalecer así los cimientos del bienestar psicológico presente y futuro.

ingenuidad de «el amor todo lo puede», ni tampoco por la frase «el roce hace el cariño», que tanto oímos en las consultas. Ni el roce hace necesariamente el cariño, ni el amor todo lo puede, puesto que sabemos que muchos retrasos evolutivos requieren asistencia profesional a largo plazo. No obstante, se tiene conocimiento de que las áreas afectiva, emocional y social encuentran en la relación familiar cotidiana el mejor contexto para su entrenamiento. A continuación se aportarán algunas ideas sobre cómo los padres pueden compensar las necesidades afectivas de sus hijos. Siguiendo lo que expusieron Pacheco y Boadas (2011), las tareas que los padres pueden realizar con sus hijos o las actitudes

que pueden desarrollar hacia ellos se desglosan en cuatro grandes áreas: fomento del apego seguro, fomento de la resiliencia, fomento de la conciencia sobre sí mismo y sobre el otro, y construcción de la identidad familiar. Los padres han de poder fortalecer estas áreas partiendo de las habilidades y recursos de los que ya disponen como personas y que, en muchas ocasiones y de forma más o menos consciente, ya han utilizado como padres.

Aunque resulte más didáctico presentar las cuatro áreas por separado, es evidente la influencia mutua que existe entre todas ellas. Véase el esquema adjunto sobre el fomento del desarrollo psico-afectivo y socio-emocional del niño:

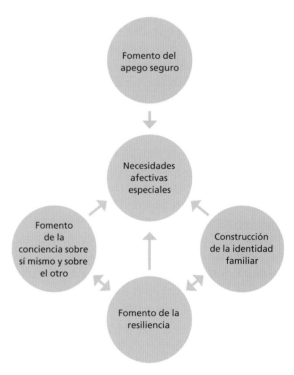

Se trata de ofrecer ideas para que cada familia pueda adaptarlas a su propia forma de proceder, teniendo siempre en cuenta que cada niño y cada núcleo familiar tiene sus propias necesidades.

Fomento del apego seguro

Puesto que el apego seguro es la base en la que se fundamentan las necesidades afectivas del menor, las cuatro grandes áreas que se han descrito contribuyen, en mayor o menor medida, al fomento del apego seguro. Además, podemos tener en cuenta algunas indicaciones para poder potenciarlo concretamente:

- Favorecer la autonomía del niño, puesto que este es una persona distinta a sus padres. Es útil que el entorno se disponga de manera que se minimicen los riesgos, pero hay que tener en cuenta que los padres deben permanecer suficientemente alejados para que el niño pueda explorar, a la vez que bastante cerca como para que pueda contar con ellos si es preciso.
- Reaccionar con empatía a los percances que puedan suceder durante la exploración del hijo. Comprender al niño, consolarlo, y después ayudarle a comprender cómo actuar en un futuro para que no se repita el percance.
- Es necesario entender suficientemente al hijo como para saber interpretar sus estados emocionales de manera adecuada. Si el niño llora por una necesidad real (se debe asumir que son distintas en cada edad y persona), la madre dejará lo que esté haciendo e irá a consolarlo.
- Las elecciones también son una forma de exploración, por lo que es importante dejarles escoger entre opciones sobre temas sobre los que sea adecuado que elijan. Puede tratarse de cosas como, a los tres años: «Hoy, ¿qué prefieres tomar para merendar, magdalenas o galletas?».
- Es necesario disfrutar de la proximidad física con el hijo, partiendo del punto en el que este se sienta cómodo (abrazos, caricias, besos, etcétera). Se trata de manifestarle amor de manera explícita y adaptándose a las necesidades del hijo.

- Necesidad de actuar equilibrando las demostraciones de afecto con la indicación de los límites de la conducta del niño. Los niños precisan la seguridad que aporta el conocimiento de unos límites bien establecidos, dentro de una relación en la que es habitual la demostración de afecto y consideración hacia el otro.
- Es preciso contribuir a que el niño se sienta importante en la relación con los padres: expresar de manera abierta los sentimientos positivos que se sienten hacia el hijo, sonreírle a menudo y hablarle mirándole a los ojos y poniéndose a su altura.
- Potenciar la autoestima del niño reforzando con expresiones de gratificación todo lo bueno que haga, por sencillo que sea.

Para el fomento del apego seguro conviene favorecer la autonomía del niño, puesto que este es una persona distinta a sus padres.

Se trata de expresiones del estilo: «Me gusta muchísimo cómo cantas esta canción, cántamela otra vez, por favor».

- Es necesario comunicarse de manera fluida con los hijos sobre los temas relacionados con la adopción, y hacerlo adaptándose a lo que el hijo necesita en cada momento.
- Es importante mostrar un interés genuino por los intereses y las preocupaciones del hijo.
- Los pequeños nuevos aprendizajes pueden constituir grandes desafíos. Para aumentar las probabilidades de éxito, es útil que los padres se muestren lo más concretos y cercanos posible en estas situaciones (por ejemplo, junto a su hijo de tres años que intenta, con muchas dificultades, ponerse una camiseta).
- Si los padres toman conciencia de los pequeños avances de su hijo y le comunican enfáticamente su alegría, esto animará al niño a seguir explorando y de este modo le ayudará a avanzar.

Potenciar la autoestima del niño, comunicarse de manera fluida y mostrar un interés genuino por sus intereses y preocupaciones, sin duda, contribuyen a fomentar el apego seguro.

Fomento de la resiliencia

Como se ha visto, los padres pueden ser tutores de resiliencia. Pero para poder comprender lo que esto significa, primero debemos entender este concepto.

En la década de 1970, Michael Rutter introdujo el concepto de resiliencia en el ámbito psicológico. Desde entonces se han propuesto diversas definiciones, entre las que destacamos la propuesta por Manciaux, Vanistendael, Lecomte y Cyrulnik (2003), en la que la describen como la capacidad de una persona para poder desarrollarse correctamente y seguir proyectándose en el futuro a pesar de los acontecimientos desestabilizadores, las condiciones de vida negativas y los traumas vividos. Las personas resilientes se adaptan mejor a los cambios y afrontan de manera más adecuada las situaciones problemáticas, por lo que se trata de una capacidad que los padres deberían intentar fomentar en sus hijos. En el caso de los padres adoptivos, el «deberían» se transformaría en un «deben», puesto que los hijos que han adoptado proceden justamente de condiciones de vida negativas y más o menos traumáticas. Necesitan poder desarrollar la capacidad resiliente, y sus padres pueden ayudarles a ello, con lo que para sus hijos se convierten en lo que Cyrulnik (2002) denomina tutores de resiliencia, cuyo objetivo principal sería que los hijos pudieran dotar de un significado adaptativo a los traumas o carencias vividos, así como enfrentarse con éxito a posibles acontecimientos potencialmente desestabilizadores.

El proceso de fomentar la resiliencia pasa por potenciar sus componentes principales: autoestima, autonomía y autocuidado, creatividad, empatía, sentido del humor, cohesión con los demás, apoyo social y procesos de comunicación adecuados dentro de la familia. En cuanto a cómo potenciar los distintos componentes de la resiliencia, parte de las ideas aportadas para el fomento del apego seguro son también adecuadas para generar algunos de los componentes de la resiliencia (en particular la autoestima, la autonomía, la empatía, la cohesión con los demás y los procesos de comunicación adecuados en el seno de la familia). En lo que concierne al fomento del autocuidado, es útil adquirirlo con la práctica. En lo que refiere al entrenamiento de la creatividad y del sentido del humor, la mejor manera que los padres pueden tener para practicarlo con sus hijos es siendo un modelo para ellos en estas capacidades, cada cual en la medida de sus posibilidades, es decir, mostrándose creativos y afrontando las situaciones con sentido del humor. Por otro lado, el apoyo social es primordial para fomentar que el niño se sienta en relación con su entorno y, por tanto, que pueda sentirse apoyado ante las dificultades.

Puesto que la familia debe ser una de las fuentes de resiliencia, es necesario que pueda otorgar significado a la adversidad vivida por el niño de manera que esta se pueda vislumbrar desde una perspectiva lo menos nociva posible (Solórzano, Pacheco y Virgili, 2010).

Fomento de la conciencia sobre sí mismo y sobre los demás

La conciencia sobre los propios estados mentales, así como la capacidad de interpretar correctamente los de los demás, son dos habilidades con valiosas consecuencias para el desarrollo de la propia identidad personal, a la vez que para alcanzar suficiente competencia en el área emocional y social (Pacheco y Boadas, 2011). Huelga decir que no son habilidades que suelan favorecerse demasiado en las instituciones de acogida de niños, puesto que los niños institucionalizados no pueden disfrutar de la relación exclusiva con un cuidador primario que le pueda guiar en el conocimiento de estos procesos. Para fomentar en el hijo la conciencia sobre sí mismo y sobre los demás, los padres pueden:

- Preguntar explícitamente a su hijo, interesándose por su bienestar, así como por su estado mental y el de los demás, especialmente de sus compañeros.
- Transmitirle los mensajes de manera clara y expresando las emociones sin confusiones. Mirarle a los ojos y a su altura cuando le hablen.

Corbella y Gómez (2010) sugieren a los padres las siguientes indicaciones propias de la teoría de la mente:

- Que expresen verbalmente sus propios estados mentales (deseos, creencias, pensamientos, intuiciones y predicciones). Así, lograrán: (a) aumentar la comprensión del niño sobre su entorno; (b) favorecer que se incremente la conciencia del niño sobre el otro, lo que potenciará a largo plazo sus competencias sociales; y (c) favorecer por aprendizaje vicario que el niño también exprese sus propios estados mentales, y que, por tanto, incremente su conciencia sobre sí mismo.
- Que demuestren físicamente afecto a los demás, acompañado de la expresión verbal del estado emocional correspondiente. De este modo se facilita que el niño interprete de manera adecuada dicha emoción y que la comprenda en el contexto en el que se ha manifestado.
- Es importante expresar tanto verbal como no verbalmente el afecto al hijo. El hecho de que las figuras de referencia del niño expre-

sen sus emociones favorece, por aprendizaje vicario, que el niño también lo haga.

- Que manifiesten de manera verbal la reflexión sobre la anticipación de la conducta del otro, con frases del tipo: «Cuando venga papá y vea que has ordenado tan bien la habitación, se pondrá muy contento». Con este proceso, los padres podrán potenciar en gran medida la conciencia del otro, así como facilitar la anticipación de la conducta de este, y de este modo favorecer las competencias sociales y emocionales del hijo.
- Que fomenten la interacción cooperativa y distendida entre padres e hijo. Es decir, que ambos colaboren haciendo juntos algo divertido.

Construcción de la identidad familiar en la adopción

El proceso de construcción de la identidad se produce tanto a nivel individual como familiar. Podemos definirla como el sentimiento de pertenencia que desarrollan sus miembros, pudiendo identificar aquello que define a su familia a la vez que lo que la diferencia del resto de familias (Pacheco y Boadas, 2011).

Cuando el parentesco es biológico, en el sentido de pertenencia a la familia suelen adquirir bastante protagonismo el papel de la herencia genética, así como la similitud entre sus miembros, ya sea a nivel físico o psicológico. En el caso de las familias adoptivas, el parecido entre sus miembros se entiende como parecido percibido. En este sentido, es importante que el hijo adoptivo comparta intereses y actividades con otros miembros de la familia, de manera que se incremente la similitud percibida y, por tanto, el sentimiento de pertenencia a la familia. En este sentido, dicho sentimiento depende más del nivel de aceptación y acomodación del hijo adoptivo en la familia que de las similitudes. Además, investigaciones recientes concluyen que si en las familias las diferencias se aceptan y se manejan con flexibilidad y calidez, no constituyen una dificultad. En cuanto a la relación entre hermanos, se ha visto que pasado el periodo de adaptación familiar, no existe un impacto significativo en las relaciones entre ellos como consecuencia de la adopción y que esto es así independientemente de si se trata de hermanos biológicos o adoptivos. En definitiva, lo que aparece como más relevante es el fomento del sentimiento de pertenencia a la familia a partir de actividades e intereses compartidos.

En este sentido, la parentalidad adopti-

Es importante que el hijo adoptivo comparta intereses y actividades con otros miembros de la familia, de manera que se incremente el sentimiento de pertenencia a la familia.

va se define como parentalidad social en el sentido en que el vínculo familiar se construye con independencia de la herencia genética, y el sentimiento de pertenencia a la familia parte de la historia compartida, de manera paralela a la aceptación de orígenes distintos por parte de los diferentes miembros de la familia. Además de que la parentalidad adoptiva esté socialmente legitimada, para que se construya la identidad familiar, los distintos miembros de la familia deben reconocerse y validarse mutuamente en sus roles, ya sea como padres, hijos o hermanos. Este es un proceso que para ser óptimo debe producirse de forma progresi-va durante la etapa de adaptación familiar, al inicio de la adopción. Teniendo en cuenta que la familia ya existía antes de la llegada del hijo adoptivo, debe reconstruirse cuando este entra en el sistema familiar con el fin de incluir al niño adoptado como parte del sistema, y crear significados compartidos sobre lo que quiere decir ser una «familia adoptante». Parte de este proceso ya debió iniciarse antes de la culminación de la adopción, pero es esencial que se reafirme durante el periodo de adapta-ción, aunque esos significados compartidos podrán ir variando en mayor o menor medida a lo largo de la vida de la familia.

EN LA BASE DE LA BASE: ¿COMUNICACIÓN AFECTIVA O EFECTIVA CON LOS HIJOS?

Como hemos visto a lo largo de este capítulo, los procesos de comunicación se encuentran en la base de los procesos más relevantes impli-cados en las relaciones paterno-filiales en ge-neral y, en el caso particular que aquí nos ocu-pa, en las relaciones con los hijos adoptivos.

En el trabajo habitual de los especialistas con familias adoptivas se evidencia un interés ex-tremo de los padres por ser todo lo efectivos posible en la relación con sus hijos. Quieren «hacer las cosas bien» con ellos para lograr que sean personas integradas y exitosas, tan-to a nivel académico como social. Esta es, ob-viamente, una intención muy loable. Es nor-mal y deseable que los padres se preocupen para que sus hijos mejoren en los estudios, pa-ra proporcionarles el mejor especialista médi-co para aquello que precisen, y también que nos pidan que les ofrezcamos pautas para afrontar las pequeñas, o no tan pequeñas, di-ficultades de conducta en el ámbito domésti-co. Pero la paternidad va mucho más allá. Co-mo se ha visto, la identidad se construye a través de la relación, y una identidad coheren-te y en armonía se encuentra en la base del bienestar psicológico. En este sentido, cuando uno es un niño, sus figuras de vinculación son claves para asentar los cimientos del equilibrio psicológico y, como se ha visto, la comunica-ción es la principal herramienta para lograrlo. Entonces, ¿qué es preferible, la comunicación afectiva o efectiva con los hijos? ¿Ser padres afectivos o efectivos? Es posible y deseable poder ser padres afectivos y efectivos. No es necesario escoger, aunque los procesos de co-municación afectiva constituirán la mejor base para construir el resto. Es un mínimo que debe existir para que los padres puedan ser padres, y no únicamente educadores y cuidadores de los hijos. Si los padres actúan así, demostran-do su afecto hacia sus hijos y potenciando los procesos de la comunicación contingente a la situación, aunque sin dejar de lado la función educativa y de sustento de la paternidad, esta-rán sentando las bases para que los hijos pue-dan construirse como personas felices, en una relación armónica consigo mismos y con los demás.

«hay que cuidar el primer contacto del niño con la escuela y permitirle que lleve a cabo este proceso con tranquilidad y sin prisas»

Aprender a aprender

Las primeras experiencias de aprendizaje

El aprendizaje sobre el mundo y sobre nosotros mismos se inicia en el momento del nacimiento y continúa a lo largo de nuestras vidas. Durante la niñez, la relación dependiente que se establece con otra u otras personas es la fuente de aprendizaje. La calidad de este vínculo ejercerá una gran influencia en la ilusión necesaria para continuar abierto a nuevas experiencias, además de propiciar una base sólida para aprendizajes futuros. En consecuencia, se puede decir que las primeras experiencias de aprendizaje de cualquier ser humano tienen lugar en el ámbito familiar, es decir, mucho antes de la escolarización.

Desde el nacimiento, ya se inician múltiples situaciones de interacción con los miembros significativos de la familia, y a medida que los niños van creciendo, van surgiendo de manera espontánea juegos o actividades informales, como la lectura de cuentos, cantar canciones o juegos de interacción, que serán precursores importantísimos para los aprendizajes posteriores. Es decir, la familia, a partir de estas interacciones ofrece las primeras formas de aprendizaje basadas en la regulación emocional, la potenciación del lenguaje y de los aprendizajes y también en la estimulación de los sentidos, a través de las caricias, los besos, la voz, los colores, etcétera. Por ejemplo, cuando jugamos con un bebé y le enseñamos un sonajero mientras lo movemos, estamos estimulando en el niño el sentido del oído y la vista, y estamos trabajando la coordinación mano-ojo, etcétera. Todas estas interacciones y juegos espontáneos ayudan a que las redes neuronales del cerebro vayan estableciendo conexiones y se vayan preparando para otros aprendizajes más complejos.

En este sentido, la familia y el entorno más próximo desempeñan un papel muy importante para la estimulación y la adquisición de unos aprendizajes que más adelante serán decisivos para una buena escolarización, ya que todo nuevo conocimiento se construye a partir de otro anterior. Para aprender, es necesario que los niños exploren con seguridad su entorno y puedan moverse, crear, probar y experimentar; es decir, que puedan aprender constantemente a través de la realidad y de lo que sucede a su alrededor. De esta manera, los nuevos conocimientos se van relacionando con los que ya tenía, con lo que se crean unos esquemas mentales más complejos.

Cuando se habla de un niño adoptado, lo más probable es que no haya podido adquirir los aprendizajes que se acostumbran a desarrollar en el seno familiar, debido a que habrá vivido los primeros años de su vida en un institución o en el seno de una familia donde probablemente no le hayan proporcionado los cuidados y atenciones necesarios para poder desarrollarse de forma integral. La calidad de sus experiencias previas habrá sido muy precaria, debido a la falta de relaciones interpersonales y de posibilidades y estímulos proporcionados. De ahí que su desarrollo emocional y cognitivo se vea a veces afectado. Por este motivo, inicialmente, pueden tener unas necesidades específicas que quizás vayan desapareciendo con el tiempo, pero a las que hay que prestar atención.

La escolarización

La escolarización es un momento importante para cualquier niño y su familia. En nuestro país, la mayoría de los niños se incorporan al sistema educativo antes de los tres años, en una etapa crucial del desarrollo infantil en la que aprenden a caminar, a hablar, a relacionarse y a jugar, entre otras cosas. Los padres consideran, en muchas ocasiones, el jardín de infancia como un espacio que le puede ofrecer a su hijo nuevas experiencias, otros estímulos y a la vez enriquecer su desarrollo en la relación con sus compañeros. ¿Pero por qué es tan importante este momento?

El inicio de la escolaridad supone la primera separación del entorno familiar, y el niño pasa de estar en un espacio que le ofrece seguridad y estabilidad psico-afectiva a un entorno socialmente más amplio que en principio desconoce. Su proceso de socialización avanza hacia nuevos espacios, donde deberá aprender a estar, a relacionarse, a compartir y a ser sin la presencia de sus padres.

Las decisiones que se deben tomar acerca de este proceso lo convierten en un tema que genera inquietudes e interrogantes. En el caso de la adopción, las dudas se multiplican y empiezan a aparecer incluso antes de que el niño llegue a la familia. Los futuros padres no saben qué edad tendrá el niño, cómo será, cómo estará o cómo se organizarán para atenderle, y entre tanta incertidumbre, las familias se preguntan: ¿cuándo es un buen momento para llevarlo a la escuela?

Pues bien, no existe una respuesta que sirva para todos. Hay que entender que cada niño

Las familias adoptantes suelen preguntarse por el mejor momento para llevar a su hijo a la escuela. No existe una respuesta que sirva para todos. Hay que entender que cada niño y cada entorno familiar son diferentes, y se deben tomar decisiones según cada caso.

y cada entorno familiar son diferentes, y partiendo de esa premisa, se deben tomar decisiones que ayuden a definir cómo debe ser el proceso de escolarización del niño y qué variables hay que tener en cuenta para poder responder a esta pregunta.

Antes de ir a la escuela

Algunas familias consideran que la incorporación a la escuela es un paso para favorecer la integración del menor y su socialización, y esta idea hace que muchos niños adoptados sean escolarizados de manera prematura cuando todavía no están preparados para asumir una adaptación con éxito. Hay que partir de la idea de que el niño adoptado presenta unas características diferentes de los demás niños, y por este motivo se deben tener en cuenta sus particularidades.

El primer aspecto que se debe tener presente antes de escolarizar al hijo es el factor tiempo. Hay que entender que el niño llegará en una situación de desventaja y que hace falta ofrecerle un entorno familiar tranquilo y seguro donde pueda establecer unos vínculos afectivos que le aporten estabilidad. Este periodo de tiempo en casa sirve para que el niño asimile unos referentes adultos estables que son los padres, ya que las rupturas y pérdidas que ha sufrido a lo largo de su vida pueden dificultar el proceso de vinculación. Precisamente por ese motivo, antes de que el niño se incorpore a la escuela, debe sentirse seguro en su entorno más cercano que es la familia.

En algunos casos, los padres deciden adelantar el momento de la escolarización para que el niño empiece el curso en el mismo momento que sus compañeros y no se considere diferente. Es muy frecuente que se produzca el caso de niños que llegan a sus familias adoptivas en junio, julio o agosto, y en sep-tiembre ya inician su escolarización, pero, si pensamos en el niño, ¿qué lo hace más diferente? ¿Empezar el curso dos meses después que el resto de sus compañeros o hacerlo cuando todavía no sabe lo que significa tener una familia, cuando no habla el mismo idioma que los otros niños o no sabe cómo relacionarse con ellos?

¿Pero, por qué es tan importante esa adaptación inicial en el entorno familiar?

El proceso de socialización de cualquier niño se inicia en el seno familiar. Es en este entorno donde empieza a establecer sus primeras relaciones, donde descubre los valores familiares y donde encuentra los recursos emociona-

El proceso de socialización de cualquier niño se inicia en el seno familiar. Es en este entorno donde empieza a establecer sus primeras relaciones, donde descubre los valores familiares y donde encuentra los recursos emocionales y afectivos que le ofrecen la seguridad necesaria para poder pasar a un segundo estadio.

les y afectivos que le ofrecen la seguridad necesaria para poder pasar a un segundo estadio. Este segundo estadio requiere ampliar ese núcleo y empezar a relacionarse en otros entornos como la escuela. En el caso de los niños adoptados, el proceso de socialización debe seguir las mismas fases; por tanto, cuando llega a la familia debe iniciar de nuevo este proceso. Pero si un niño no ha tenido tiempo para sentirse seguro en el entorno familiar, ¿a partir de qué o de quién va a sentirse protegido para explorar y conocer otros entornos de forma adecuada?

Además, la atención familiar, la exclusividad y una estimulación adaptada a su nivel de desarrollo le ofrecerán la oportunidad de ir aprendiendo en el hogar todo lo necesario para después poder empezar a asistir a la escuela mucho más preparado y, por tanto, con más garantías de que las cosas vayan bien. Debe aprender el idioma, a jugar y a relacionarse, entre otras cosas, y por eso cualquier estímulo que se le ofrezca desde el afecto le está aportando nuevas experiencias que posiblemente desconocía hasta el momento.

Algunas familias consideran que estas afirmaciones son muy útiles cuando los niños son pequeños, pero lo ponen en entredicho cuando estos son adoptados con más de tres años. Algunos interrogantes aparecen con mucha más fuerza, y a las familias les preocupan aspectos como: ¿si está en casa no se rezagará en sus aprendizajes?, ¿no es mejor que esté con más niños?, ¿cómo puedo yo prepararle para el colegio?, ¿qué ocurre si empieza la escuela con cuatro o cinco años?

Pues bien, hay que entender que el pequeño procede de un entorno donde ha estado con muchos niños y pocos adultos, y por ese motivo lo que más le conviene es estar en casa con los padres, y esto no le perjudica en sus aprendizajes, ya que lo primero que debe aprender es a tener el amor y afecto de una familia. Cada niño vive de forma muy distinta los cambios que implica cualquier proceso de adopción, pero a todos les genera cierta inestabilidad emocional y los niños solo pueden aprender si emocionalmente están tranquilos. Si el niño todavía está angustiado, nervioso, desorientado o no ha establecido vínculos, difícilmente está preparado para iniciar su escolarización y aprender. Un ejemplo muy claro lo vemos cuando existe alguna dificultad en el entorno familiar (la separación de los padres, la muerte de un abuelo, etcétera), y de repente el menor reduce de forma significativa su rendimiento académico. Ese niño es igual de inteligente, tiene los mismos compañeros y la misma relación con ellos, pero en ese momento está más centrado y preocupado por lo que está pasando en casa que por aprender y atender a las explicaciones del maestro.

Es necesario tratar y valorar cada caso desde la individualidad, pero siempre se deben priorizar los aspectos emocionales y afectivos por encima de la escolarización, sea cual sea la edad del niño.

Cómo favorecer el aprendizaje en el entorno familiar

Durante el tiempo que el niño esté en casa, la familia, los padres, los abuelos pueden favorecer de forma significativa su aprendizaje.

En primer lugar, es importante conocer el nivel de desarrollo del niño para poder adaptarse a él y empezar a estimular aspectos muy básicos que, probablemente, corresponderían a niños de menor edad. A través del juego y de actividades cotidianas es posible desarrollar capacidades que son imprescindibles, ya que constituyen la base de aprendizajes más complejos y que seguramente no habrán podido desarrollar antes de forma plena.

Se puede ayudar a potenciar la capacidad perceptiva a través de actividades que fomen-

Durante el tiempo que el niño esté en casa, la familia, los padres, los abuelos pueden favorecer de forma significativa su aprendizaje.

ten el despertar de los sentidos, la vista, el tacto, el oído o el gusto, por ejemplo. Así, se pueden mirar cuentos con imágenes, cantar canciones, escuchar música, experimentar con diversos objetos y materiales y, sobre todo, jugar a hacerse mimos, acariciarse o darse abrazos. Estas serán las conductas más importantes y que más ayudarán en su desarrollo en estos momentos.

No hay que olvidar que los aspectos afectivos y de aprendizaje están íntimamente relacionados; habrá aprendizaje si hay afecto.

La atención es otra de las capacidades más importantes que deben desarrollarse y que se puede trabajar a través de la explicación de un cuento, modulando la voz para que preste atención a un momento o a un personaje concreto, a través de juegos de mesa que requieran mantener la atención o describir algún objeto, imagen o situación. Otra forma de mejorar la atención, además de la creatividad, es realizar actividades plásticas, como dibujar, colorear, moldear plastilina o barro, pintar con pintura de dedos, etcétera. La manipulación de estos materiales le ayudará a adquirir un mayor control de su cuerpo y tener la satisfacción de crear. También los juegos de construcción, como los bloques, encajes o los rompecabezas, son muy útiles, ya que favorecen, además de la atención, el futuro aprendizaje de las matemáticas.

Debemos aprovechar al máximo cualquier situación o actividad en la que los niños sientan curiosidad para así poder estimular el aprendizaje a partir de sus intereses.

Para desarrollar la capacidad simbólica y la formación de esquemas mentales, se pueden hacer juegos de imitación de roles, jugar a «como si» fuéramos médicos, maestros, pasteleros, etcétera. También jugar a disfrazarse, a maquillarse, o ayudar a montar una fiesta o una salida, entre otras cosas. Todos estos juegos potencian la imaginación, ayudan en la planificación de las acciones y a establecer esquemas de conocimiento. A raíz de la repetición de dichas actividades, juegos y rutinas se favorece el desarrollo de la memoria, así como el del lenguaje. Es un buen momento para memorizar y hacer juegos verbales, como aprender breves textos orales para hacer una pequeña representación, o canciones, historias, etcétera.

El juego, además de ser una herramienta de aprendizaje, tiene una gran utilidad social y emocional, porque a través de él se expresan muchas emociones y se resuelven tensiones. Así, se puede observar cómo los niños, el día que los regañan, después regañan a su muñeco, o cuando el médico les ha puesto una vacuna, luego ellos se la ponen a su muñeca. Además,

El juego, además de ser una herramienta de aprendizaje, tiene una gran utilidad social y emocional, porque a través de él se expresan muchas emociones y se resuelven tensiones.

a través del juego se fomenta el desarrollo de la psicomotricidad, dibujando, pintando, cogiendo piezas, o corriendo, saltando y acudiendo al parque.

Estas pueden ser algunas de las actividades que suscitan el interés de los niños y que pueden ayudarles a desarrollar una serie de capacidades muy importantes para sus aprendizajes posteriores, además de aproximarlos al camino de la comprensión de algunas condiciones necesarias para desenvolverse en la vida cotidiana.

Estas actividades, además, tienen como principal función la formación del vínculo afectivo con su nueva familia y el desarrollo del lenguaje.

Ofrecer un contexto rico en situaciones, objetos, experiencias y relaciones, donde los niños puedan usar su tendencia a la acción, a manipular cosas y a hablar sobre ellas, y a explorar para descubrir la realidad más inmediata y sus posibilidades. Y, sobre todo jugar, ya que el juego es la actividad de aprendizaje por excelencia en las primeras edades. A través del juego, los niños aprenden a entender el mundo que les rodea. Con él, se explora, se descubre, se experimenta, se entiende y se integra.

Así pues, hay que ofrecerle aquello que necesita, e ir introduciendo los cambios de forma paulatina. Es necesario tener presente que por asistir antes a la escuela no va a progresar con más rapidez, sino que en muchas ocasiones se produce el efecto contrario, ya que el niño no está preparado para adaptarse a las exigencias implícitas que conlleva cualquier cambio, y se cierra más en sí mismo o empieza a presentar conductas más disruptivas, como pelearse con los compañeros o no atender al maestro.

Pablo fue adoptado con cuatro años y dos meses. Después de llegar a su nueva familia, sus padres decidieron escolarizarlo. En aquel momento no dominaba el idioma y su nivel de desarrollo estaba por debajo del de sus compañeros. Los maestros empezaron a observar que Pablo, un niño aparentemente tranquilo, se relacionaba con sus compañeros con cierta agresividad. Cuando ellos jugaban al fútbol, él empezaba a molestar. En ocasiones, esta actitud también aparecía cuando hacían algún trabajo en grupo, y esto generaba cierto rechazo por parte de sus compañeros. En este caso, los maestros enseguida se percataron de que su falta de vocabulario le impedía interaccionar con los otros niños de forma correcta. Además, Pablo no sabía jugar al fútbol, ni tampoco era capaz de realizar muchas de las actividades que le proponían, por lo que ante la imposibilidad de estar a la altura, se frustraba y su forma de reaccionar era molestar e incluso llegaba a increpar a sus compañeros. Probablemente esta situación se habría evitado si Pablo hubiera tenido más tiempo para adaptarse a la familia y aprender el nuevo idioma antes de empezar el colegio.

El inicio de la escolaridad

Una vez tomada la decisión sobre cuándo escolarizar al niño, también hay que pensar en dónde. ¿Qué tipo de escuela es mejor para él? ¿Qué aspectos debemos tener en cuenta para elegir el centro?

Cuando uno empieza a plantearse la posibilidad de ser padre, ya lleva implícitas unas ideas y unas expectativas sobre el tipo de escolarización que le gustaría para su hijo. La escuela a la que asistió de pequeño, sus experiencias y sus recuerdos van configurando una idea de lo que uno quiere para los hijos. Sin embargo, a esta reflexión hay que añadir las características específicas de los menores adoptados y pensar qué tipo de colegio puede favorecer la adaptación del menor y dar mejor respuesta a sus necesidades.

Pero, ¿cómo saber si una escuela está preparada para atender estas necesidades? Desde el punto de vista pedagógico, es importante tener en cuenta algunas variables que pueden ayudar a tomar decisiones:
* Escoger un centro que respete las características individuales de cada alumno. Las

leyes actuales de educación indican que todas las escuelas deben atender a la diversidad del alumnado y dar respuesta a sus necesidades educativas para poder potenciar al máximo sus capacidades. Sin embargo, en la práctica, algunos centros están más preparados que otros para cumplir con este objetivo. Las escuelas integradoras e inclusivas son las que dan mejor respuesta a la diversidad del alumnado porque disponen de más recursos humanos (maestros de educación especial, especialistas en audición y lenguaje, psicopedagogos) y metodológicos que les permiten atender mejor las necesidades de cada alumno y son más sensibles a cada realidad.

El tamaño del centro es un aspecto importante, ya que en una escuela pequeña el niño se puede sentir más arropado en un entorno más próximo y familiar. En una escuela grande, de tres líneas o más, puede suceder lo contrario.

● Puede ser beneficioso para el niño que en el colegio exista diversidad cultural y étnica, ya que esto le ayuda a sentirse uno más. En ocasiones, el niño procedente de Etiopía o China es el «diferente» de la clase, y esta realidad, aunque cada vez es menos frecuente, puede vivirse de formas muy distintas según el carácter del niño.

● El tamaño del centro es un aspecto importante, ya que en una escuela pequeña el niño se puede sentir más arropado en un entorno más próximo y familiar. Por lo general, en los centros de una o dos líneas (una o dos clases por curso), el trato es más personalizado, y también la comunicación y la relación familia-escuela, fundamental en todo el proceso de escolarización, acostumbra a ser más fácil y directa.

En los casos de niños adoptados que presentan retrasos significativos en su desarrollo, y en los que podemos anticipar ciertas dificultades, es aconsejable evitar:

● Escuelas centradas en la excelencia académica, donde el nivel de exigencia es mucho más alto que en otros colegios, y se centran principalmente en los resultados escolares. Este nivel de exigencia puede generar cierta frustración al niño que, a pesar del esfuerzo que realiza, no puede llegar al nivel que se le pide y siempre está por detrás de sus compañeros.

● Las escuelas bilingües o trilingües tampoco son inicialmente las más adecuadas, ya que los estudios demuestran que los niños adoptados presentan más dificultades de lenguaje que los no adoptados, y por tanto hay que ser prudente antes de introducir otro idioma diferente al de la familia adoptiva, ya que puede entorpecer la adquisición del lenguaje familiar y, en consecuencia, ser la causa de las dificultades en los aprendizajes futuros en diversas áreas.

Una vez seleccionado el centro, llega el momento de que el niño empiece a asistir a la escuela con normalidad, y es entonces cuando los padres se preguntan:

¿Cómo debe ser la incorporación al entorno escolar del niño adoptado?

Con independencia de la edad de escolarización, la incorporación debe ser progresiva. En general, los jardines de infancia son más flexibles y adaptables en cuanto a horarios y calendario. Acostumbran a respetar más el ritmo individual de cada niño y la comunicación con los padres es diaria. Tienen una mejor predisposición a adaptarse a las necesidades de cada pequeño, y normalmente consideran el primer trimestre del curso como el periodo de adaptación. Sin embargo, la realidad es que muchos niños son adoptados alrededor de los tres años y ya no les corresponde por edad esta etapa educativa.

¿Qué ocurre cuando se incorporan en el segundo ciclo de educación infantil (3-6 años) o en la etapa de primaria (6-12 años)? En este caso, por lo general, el proceso de adaptación acostumbra a ser muy diferente y se reduce a algunos días o a una semana. La mayoría de escuelas siguen, en el primer curso de parvulario (P-3), un programa de adaptación estandarizado para todos los niños. Los maestros saben que los alumnos necesitan un tiempo para adaptarse, ya que no conocen el centro, ni a los profesores, ni tampoco el funcionamiento del grupo. Entienden que algunos de ellos no han estado escolarizados previamente y, por tanto, supone un cambio muy significativo en su dinámica habitual. Pero ¿por qué si todos entendemos y compartimos esta realidad cuando los niños empiezan a los tres años, se nos olvida cuando empiezan a los cuatro, cinco o seis?

En su mayoría, en la educación infantil o primaria ya no es el centro quien se adapta al ritmo del niño, sino que es este último el que debe adecuarse al ritmo del centro. Y si bien compartimos la idea de que para conseguir un buen funcionamiento del grupo-clase es importante fijar un programa de adaptación generalizado, también lo es que muchas veces el tiempo que marca el centro y el que necesita el niño no se corresponden, y en esos casos sería necesaria una mayor flexibilidad por parte del centro y también de los padres, que en ocasiones se niegan a seguir realizando un proceso de adaptación más largo.

Además, algunos niños adoptados empiezan la escuela cuando el curso ya ha comenzado y nunca antes han estado escolarizados, por lo que padres y maestros deben entender que necesita tanto o más tiempo que otro niño. El proceso debe ser todavía más gradual y progresivo, y la observación y comunicación por parte de los profesores y de la familia deben convertirse en herramientas fundamentales, ya que el niño se incorpora a un grupo que ya está funcionando y para él supone un esfuerzo muy importante.

Así pues, hay que cuidar el primer contacto del niño con la escuela y permitirle que lleve a cabo este proceso con tranquilidad y sin prisas, con independencia del curso en el que se escolarice el niño.

Orientaciones para la incorporación a la escuela

Sea cual sea el tipo de escuela y la edad del niño, el proceso de adaptación escolar es un periodo importante no solo para él, sino también para los padres, que deben adaptarse a la nueva situación y tienen que superar sus temores y dudas y establecer una relación de comunicación y confianza con el centro. Los padres deben entender que los sentimientos que tengan respeto a ese momento se los van a transmitir a los hijos.

Cada niño vive los cambios de una forma diferente, pero todos ellos necesitan un periodo de adaptación a la nueva situación.

> Una madre adoptiva estaba muy preocupada porque su hijo debía empezar a asistir al jardín de infancia. Le angustiaba pensar en la separación después de haber pasado el primer año totalmente dedicada a su atención y a sus cuidados, dudaba de la capacitación de los educadores, de las garantías de seguridad del centro, y por ese motivo estaba retrasando el momento de iniciar la escolarización de su hijo. En este caso, la madre pudo superar sus temores antes de iniciar el proceso de adaptación del niño, pero en caso de no haber sido así, difícilmente el niño se hubiera sentido seguro durante ese periodo de adaptación.

¿Qué se puede hacer para preparar al niño para ese momento?

- En primer lugar, darle tiempo y no precipitarse en las decisiones. En el jardín de infancia o en la escuela, el niño podrá aprender muchas cosas y realizará actividades que favorecerán su desarrollo, pero el tiempo le ayudará a relajarse y a poder disfrutar de todas las oportunidades que le puede brindar esta nueva experiencia. Debe saber que los padres y los maestros le acompañan y que están dispuestos a ayudarlo a superar esta situación inicial.
- Explicarle y anticipar al máximo la situación. Hay muchos cuentos que hablan sobre el primer día de escuela; si se acompañan de las explicaciones de los padres, pueden ayudar al niño a ir imaginándose la situación. También es aconsejable aprovechar la entrada y salida del colegio de los otros niños para poder pasear por la zona y explicarle que esos niños cada día van a

Siempre que sea posible, conviene visitar las instalaciones del centro antes de que el niño se incorpore a la escuela, ya que conocer los espacios físicos puede darle mucha tranquilidad.

esa escuela, donde aprenden muchas cosas y juegan con sus compañeros y que sus padres los recogen por la tarde cada día. Si se presenta la ocasión, también es recomendable poder acompañar durante unos días a un hermano, a un primo o a un vecino a la escuela por la mañana y recogerlo por la tarde para que el niño vea que se queda tranquilo y contento y que sigue igual de feliz cuando regresa.

- Siempre que sea posible, hay que visitar las instalaciones del centro antes de que se incorpore a la escuela, ya que conocer los espacios físicos puede darle mucha tranquilidad. Visitar el patio de la escuela o su futura clase es una buena opción.

- Tener la oportunidad de conocer al tutor que tendrá durante el curso, junto con sus padres. Poder tener un primer contacto con la presencia de los padres suaviza la situación y el niño puede observar que para sus referentes es una persona conocida con la que saben que estará bien.
- Las familias deben solicitar, en caso de que no tome la iniciativa el centro, una entrevista para poder conocer cómo se realizará el proceso de adaptación y el grado de flexibilidad por parte del centro.
- Se debe realizar una adaptación lo más progresiva posible, aunque aparentemente el niño no se muestre extraño y aunque sea mayor que el resto de los niños.
- Una vez se ha iniciado el proceso de adaptación es fundamental la comunicación entre la familia y la escuela para poder ir valorando la evolución del menor e introducir las modificaciones o adaptaciones necesarias, ya que cada niño, sea cual sea su procedencia, tiene su propio ritmo.
- Desde la familia hay que vivir con tranquilidad y seguridad este proceso y transmitir esta confianza y normalidad a los hijos.

Cuáles pueden ser las reacciones más frecuentes en los niños adoptados

Las reacciones de los niños adoptados ante esta situación pueden ser muy diferentes y dependen en gran medida de sus experiencias previas a la adopción y de su vinculación con la familia adoptiva. En el caso de los hijos biológicos, se consideraría normal que llorara en el momento de la separación o que se mostrara inseguro y nervioso. Pero en los niños adoptados hay que entender sus manifestaciones e interpretar correctamente sus reacciones. ¿Cómo saber qué sentido tienen sus reacciones?

Los niños que han tenido el tiempo suficiente para vincularse con su familia adoptiva acostumbran a tener las mismas reacciones que cualquier otro niño: lloran, se enfadan porque deben separarse de sus padres, se muestran extraños ante un nuevo entorno y son precavidos con las relaciones con las personas que no conocen. Es probable que estas conductas aparezcan durante los primeros días y que de forma progresiva vayan desapareciendo a medida que el niño se vaya sintiendo más seguro ante la nueva situación. Es importante insistir en la idea de que van y vuelven, y de que su sitio está en la familia, ya que algunos niños más mayores pueden tener recuerdos del centro de acogida donde vivieron y en ocasiones el funcionamiento de una escuela les puede avivar sentimientos de ese periodo.

Por otro lado, hay familias que, basándose en motivos laborales, educativos o prácticos, deciden escolarizar a sus hijos prematuramente cuando todavía no han podido establecer un buen vínculo e interiorizar unos referentes estables. Dentro de este grupo de niños se observan diferentes reacciones pero se pueden destacar las siguientes:

- Los niños que presentan una dependencia exagerada con los adultos. No se debe confundir esta reacción con una fuerte vinculación, ya que probablemente se trata de niños que se sienten muy inseguros y que todavía están demasiado asustados. No muestran interés por explorar su entorno porque no pueden pensar en nada más que en protegerse de todo aquello que les rodea y que desconocen.
- Por el contrario, otros niños presentan un grado de autonomía superior al que le correspondería por edad en muchas áreas. En los centros de acogida han aprendido a desarrollar habilidades que les han permitido soportar la situación y se han acostumbrado a no necesitar a los adultos, a no tener unos referentes estables. Para ellos,

cualquier adulto es un cuidador que satisface ciertas necesidades, pero que seguramente no le ha podido ofrecer afecto y amor. Estos niños, cuando empiezan la escuela, se muestran muy abiertos y sociables con los maestros, no lloran, no parecen extraños y están dispuestos a explorar su entorno. Si necesitan algo, se dirigirán a cualquier maestro que esté presente, con independencia de si es o no su tutor, y por lo general tienen una muy buena acogida en el entorno escolar, pero los expertos en adopción alertan sobre la dificultad de algunas familias y maestros para interpretar correctamente estas situaciones.

¿Qué hacer si nuestro hijo presenta estas reacciones? ¿Debemos preocuparnos?

Si reflexionamos acerca de por qué reacciona de esta forma y entendemos que sigue actuando como lo hacía en el centro de acogida, coincidiremos en que es importante no potenciar, ni desde casa ni desde la escuela, este tipo de conductas, e intentaremos ofrecerle otras pautas de relación e interacción más adecuadas.

Por ejemplo, si un niño se cae y se hace daño en la rodilla, es posible que él mismo vaya a la fuente para limpiarse. Las familias y los maestros interpretan que es un niño fuerte e independiente y lo valoran de manera positiva, pero si entendemos que responde de esta forma porque cuando se caía nadie acudía a ayudarlo o a consolarlo, entenderemos que ahora si se cae alguien debe decirle: «Vamos a limpiarlo, yo puedo ayudarte cuando te haces daño». Es preferible que esta persona sea el tutor o los padres, ya que así, de forma progresiva, el niño va entendiendo qué puede esperar de los adultos, aprende a confiar en ellos y entiende que le pueden aportar afecto y atención.

Si padres y maestros son capaces de interpretar correctamente sus necesidades, todo será un poco más fácil para él. Algunos niños se adaptan a la escuela con aparente facilidad, ya que están acostumbrados a muchos cambios, pero por la tarde, al salir del colegio, están muy cansados, en casa se muestran más irritables, o empiezan a despertarse por las noches. Estas situaciones son normales si se tiene en cuenta que deben adaptarse a un nuevo ritmo de vida y a una nueva situación, que deben relacionarse con adultos a los que no conocen, compartir sus juegos con otros niños, y todo esto les puede generar cierto estrés que se manifiesta a través de estas conductas. Los padres deben mostrarse pacientes y flexibles ante esta situación e intentar empatizar con las necesidades del niño. Durante este periodo es importante no cargarle con actividades extraescolares y aprovechar la tarde para estar en casa tranquilos y poder descansar todo lo necesario. En definitiva, crear un clima de protección y afectividad que le ayude a recuperarse de la jornada escolar y a cargarse de energía para un nuevo día.

Pero, ¿cómo saber si se ha adaptado al colegio? El niño se ha adaptado correctamente al entorno escolar cuando ya es capaz de vivir con normalidad la separación de los padres y se despide de ellos y los recibe correctamente. Cuando ha aprendido a compartir no solo los juguetes y el espacio de convivencia, sino también la atención del adulto de referencia (educador o maestro). Cuando en casa y en el colegio está tranquilo y no presenta alteraciones en sus hábitos adquiridos y, además, es capaz de participar en las actividades de forma adecuada y disfrutar de la compañía de los otros niños. Si se observa que el niño muestra estas actitudes en su día a día en el colegio, seguramente se puede afirmar que está adaptado al entorno escolar.

Finalmente, hay que destacar la importancia del centro educativo y de los profesionales que en él trabajan durante todo el proceso de integración y adaptación escolar. Para ellos también es una situación nueva, ya que a pesar de que puedan tener mucha experiencia en el ámbito educativo, un nuevo curso siempre requiere un periodo para conocerse e ir aprendiendo y entendiendo las necesidades de cada niño. Por este motivo es fundamental que desde la escuela infantil (0-3 años) o desde la escuela primaria se fomente una buena comunicación con la familia y que el centro sea flexible y sensible a las necesidades de cada realidad. Cada niño es distinto, lo mismo que cada familia, pero debemos tener presente que todos ellos configuran la diversidad de nuestra sociedad.

El niño se ha adaptado correctamente al entorno escolar cuando ha aprendido a compartir los juguetes y el espacio de convivencia y, además, es capaz de participar en las actividades de forma adecuada y disfrutar de la compañía de los otros niños.

La relación entre padres y profesorado: la comunicación, una herramienta indispensable

El sistema educativo ha de estar preparado para atender a las diferentes tipologías familiares, entre ellas la familia adoptiva. A lo largo del capítulo se ha visto cómo la escuela, junto con la familia, es una de las piezas clave en el proceso de adaptación e integración escolar de los niños adoptados. Así pues, el colegio debe entenderse como un espacio de acogida y convivencia donde todos los agentes que lo componen (maestros, padres, alumnos, etcétera) forman parte de una misma comunidad educativa con un objetivo común: educar. Pero ¿cómo se puede conseguir un objetivo común sin hacer un trabajo en equipo?

Todos los estudios coinciden en destacar la necesidad de fomentar la cooperación y relación entre la familia y el centro escolar como uno de los aspectos fundamentales para mejorar la calidad de la educación. Esta participación de la familia en el contexto educativo tiene una importante repercusión en la vida escolar del niño, ya que si ve a sus padres preocuparse por su educación y participar de manera activa en su escolarización, tiene más probabilidades de éxito, puesto que este hecho le hace sentirse importante y, por tanto, le permite mejorar su autoestima. En el caso de las familias adoptivas, esta relación se hace más necesaria, ya que permite conocer la evolución de los niños no solo a nivel académico, sino también afectivo y relacional. Esta relación/comunicación siempre ha de ser bidireccional y debe servir para:

- Informar del proceso de adaptación e integración del niño en el entorno escolar. Conocer cómo se va adaptando y cómo es su evolución. En muchas ocasiones, el maestro también puede entender mejor las reacciones del niño a partir de las explica-

ciones de los padres sobre cómo lo ven en casa.

- Compartir la información necesaria sobre la adopción que pueda ayudar a comprender mejor las reacciones del niño y su evolución. En ocasiones, el centro educativo no dispone de ninguna información sobre el menor adoptado y sus experiencias previas, lo que dificulta a los profesionales entender determinadas reacciones. Aportar cierta información, sin entrar en detalles, puede ayudar a prevenir situaciones. Por ejemplo, saber si el niño ha estado institucionalizado más o menos tiempo, si ha sufrido algún tipo de maltrato sin necesidad de explicar qué ocurrió o si a su llegada presentaba un retraso del desarrollo muy importante puede ayudar a los maestros a ser más sensibles y observadores ante posibles dificultades.

Hay que tener presente que en esa etapa preadoptiva el niño ha vivido experiencias que pueden determinar o condicionar su desarrollo futuro en mayor o menor grado, y es importante poder trabajar desde la prevención. Tener esta información puede ser de gran utilidad para el profesional, que así podrá entender mejor al niño. Además, también puede ayudar al centro a anticipar con qué recursos debe contar para poder responder a las necesidades del menor.

- Compartir decisiones y coordinar actuaciones sobre un trabajo común, asumiendo cada una de las partes sus responsabilidades. Es importante que exista una coherencia entre el centro educativo y la familia, y si hay algún desacuerdo, hay que hablar y llegar al entendimiento, pero nunca desautorizar a la otra parte delante del niño. Hay que entender que un equipo no puede ganar si todos sus componentes no siguen una misma estrategia. Además, en algunas ocasiones, hay que tomar decisiones importantes, como: ¿en qué curso escolarizar al niño?, ¿qué tipo de ayuda necesitará?, ¿tiene que asistir a un grupo de educación especial?, ¿debe repetir curso? Algunas de estas preguntas generan muchas dudas a las familias, y en algunas ocasiones también cierta desconfianza hacia los maestros, pero antes de negarnos a seguir sus indicaciones, debemos escuchar cuáles son los motivos que han llevado al maestro o al equipo psicopedagógico a tomar esta decisión. La actitud de los padres y los maestros ha de ser abierta con la intención de llegar a entenderse, porque solo si se comparten las decisiones serán las correctas.

¿Pueden aparecer dificultades?

Muchos niños adoptados al llegar a la escuela tienen un proceso de adaptación sin dificultades, son bien aceptados por sus compañeros, y se adaptan con cierta rapidez al ritmo escolar. No hay que olvidar la capacidad de resiliencia que tienen muchos niños, que les permite superar con éxito vivencias y experiencias previas muy difíciles. Como se ha visto anteriormente, algunos niños adoptados llegan a la escuela con un desarrollo cognitivo y emocional afectado por dichas experiencias, debido a la falta de cuidados y atención frente a sus necesidades básicas en diferentes niveles (necesidades físicas básicas, afectivas, emocionales, relacionales, psicomotrices, de estimulación cognitiva, sensorial, de lenguaje, entre otras muchas).

Estas carencias emocionales, falta de estimulación, negligencia, así como de posibilidades para experimentar y adquirir aprendizajes sistematizados, pueden llevar a manifestar ciertas dificultades en diferentes áreas, como la afectiva, la de aprendizajes, la conductual y la relacional. A medida que vaya transcurriendo el tiempo, con frecuencia evolucionan mucho en unas áreas y en otras hacen regresiones, por lo que presentan retrasos o avances en el comportamiento y en los estudios, de forma irregular.

Si se presta atención y se entienden las irregularidades de los avances y las posibles necesidades de algunos niños, se podrán detectar antes las dificultades y proporcionar la ayuda necesaria.

Se podría decir que los niños adoptados llegan con cierta desventaja al sistema escolar, ya que a menudo inician la escolarización con un nivel de desarrollo global inferior a su edad cronológica. Hay que tener en cuenta que algunos niños adoptados tienen unas necesidades específicas al iniciar la escolaridad que son mayores a las del resto de sus compañeros. Las dificultades que pueden aparecer dependerán en parte del nivel de desarrollo global que tenga el niño y de las dificultades de aprendizaje, si las hay, pero sobre todo dependerán de las dificultades emocionales con las que se enfrente el niño a la escuela y a los nuevos aprendizajes. Como ya se ha comentado antes, para que el niño adoptado empiece la escuela y avance con éxito, es necesario que haya creado un vínculo emocional con sus padres, basado en la seguridad, la confianza y las emociones positivas. Cuanto mayor sea este vínculo afectivo, menos barreras tendrá para atreverse a explorar el mundo que le rodea, y más seguro y relajado se sentirá para poder aprender.

Dificultades emocionales

Los niños adoptados generalmente inician la escolarización con mayor vulnerabilidad emocional que sus compañeros, aunque al principio no lo advirtamos, ya que a menudo se muestran muy autónomos y parecen haberse adaptado bien. Como se ha mencionado anteriormente, este comportamiento no siempre es bueno, ya que puede indicar que el niño se está reprimiendo y está en una fase de observación de todo lo que sucede a su

Con cariño y comprensión, se irá logrando que el niño cada vez confíe más en los maestros, pierda el miedo a quererlos y vaya entendiendo que haga lo que haga no le abandonarán.

olvidar que con estas conductas desafiantes y desobedientes, el niño está poniendo a prueba la relación con el adulto, por eso es muy importante ser conocedores de dicha situación, ya que la reacción tiene que ser de comprensión para transmitirle que lo que está haciendo no es correcto y, sobre todo, hacer hincapié en que haga lo que haga, no se le dejará de querer.

Con cariño y comprensión, se irá logrando que el niño cada vez confíe más en los maestros, pierda el miedo a quererlos y vaya entendiendo que haga lo que haga no le abandonarán. Pero para ello se necesitan grandes dosis de paciencia, ya que precisa comprobar repetidamente que dicho compromiso es sincero.

Esta evolución hay que entenderla desde las experiencias previas a la adopción, cuando ha aprendido a desconfiar de los adultos, lo que le lleva a actuar al principio desde una base insegura, pero que hay que comprender como un paso previo hacia el apego seguro, que se espera que llegue a establecer. Los padres o maestros son responsables del tipo de relación que establecerán con ellos, por lo que tienen que poder ser sensibles a sus necesidades, a sus demandas y a su estado anímico.

Si el niño no llegara a establecer un apego seguro, se podrían observar dificultades en la regulación afectiva y el autocontrol, mostrando conductas disruptivas, impulsividad u observando en él ansiedad, inseguridad o desconfianza. También puede mostrar un escaso autocontrol y dificultad para regular sus emociones. Es importante ser conscientes

alrededor hasta comprobar que es un entorno seguro. Una vez se sienten seguros, empiezan a reclamar una atención a veces excesiva, su comportamiento empeora mediante las rabietas, mostrando una actitud desafiante, etcétera. Aunque parezca extraño, es un síntoma de que el niño se empieza a sentir seguro con su entorno y se está mostrando tal y como es, además de atreverse a manifestar lo que le agrada o le disgusta. No hay que de estas dificultades, ya que desde el punto de vista educativo se puede contribuir a la comprensión de las emociones. Si se habla con ellos de sus emociones y de las de los demás, sus causas y sus consecuencias, se ayuda a la comprensión y, a la larga, a su expresión y control emocional.

Por otra parte, habrá que tener en cuenta que ciertos niños tienen mucho temor a lo desconocido, por lo que hay que intentar evitar los cambios y, si estos existen, anticiparlos siempre que sea posible. Por este motivo, es recomendable seguir rutinas tanto en casa como en el colegio, ya que les proporcionará seguridad.

Dificultades de lenguaje

Hoy en día existen estudios que demuestran que los dos primeros años de vida son fundamentales para el desarrollo del lenguaje. La falta de interacción verbal con adultos en las edades más primerizas dificulta la correcta adquisición del lenguaje, impidiendo el pleno desarrollo de todas las habilidades lingüísticas. Los niños adoptados a partir de los dieciocho meses ya han vivido las etapas cruciales para el desarrollo del lenguaje en una situación con muy pocas posibilidades de interacción con adultos o estas han sido muy precarias. Muchos niños adoptados internacionalmente, además de no haber adquirido por completo su lengua materna, cuando llegan a su nueva familia han de empezar de cero el aprendizaje de un nuevo idioma y olvidar el que ya conocían, puesto que lo más probable es que no puedan volver a hablarlo con nadie en su nuevo país. Con este cambio, los niños adoptados viven una experiencia única a nivel lingüístico porque han de aprender por segunda vez una lengua materna.

Por lo general, la evolución del idioma es muy rápida si nos referimos al lenguaje coloquial y a su utilidad para comunicarnos.

Una vez el niño se ha adaptado y el proceso de apego se ha consolidado, se produce una enorme evolución en la nueva lengua que indica que las interacciones con los adultos son buenas y que está adquiriendo con éxito el lenguaje como herramienta para la comunicación. Sin embargo, hay niños adoptados que tienen dificultades con el nuevo idioma, aunque en principio no lo parezca, pero no hay que dejarse engañar, ya que aprenden con rapidez lo esencial de la lengua para poder comunicarse, aunque no la hayan hecho suya. Por consiguiente, pueden tener dificultades de comprensión, que pueden durar varios años hasta que se haya podido desarrollar la capacidad lingüística en su totalidad.

El lenguaje empieza siendo una herramienta para la comunicación y va evolucionando poco a poco, interiorizándose para convertirse en comunicación con uno mismo, es decir, en pensamiento interno. Esta evolución es en especial difícil para los niños que han tenido que romper de manera radical con un idioma y empezar de nuevo con otro.

Aunque los niños adoptados utilicen la nueva lengua para comunicarse de forma rápida, deberán transcurrir años hasta que adquieran un conocimiento profundo de la misma que les permita emplearla de forma eficaz. De esta dificultad se derivan otras muchas, sobre todo las relacionadas con el aprendizaje escolar, como comprender términos abstractos o lecturas complejas, seguir muchas órdenes o instrucciones a la vez, entender hipótesis, frases con doble sentido, ironías, problemas matemáticos, etcétera.

Hay que estar atentos para detectar cualquier dificultad que pueda aparecer en la evolución del lenguaje, ya que en ocasiones los niños adoptados presentan problemas en el rendimiento escolar debido a la adquisición del lenguaje.

Por una parte, los padres desde casa pueden ayudar en una primera fase al desarrollo del lenguaje como vehículo de comuni-

Los padres pueden ayudar al desarrollo del lenguaje como vehículo de comunicación, favoreciendo los espacios de comunicación, prestando mucha atención al niño cuando quiera hablar, reforzándole sus logros y teniendo paciencia y no anticipándose a lo que se cree que va a decir.

cación, favoreciendo los espacios de comunicación, prestándole mucha atención cuando quiera hablar, reforzándole muchísimo sus logros y, sobre todo, teniendo paciencia y no anticipándose a lo que se cree que va a decir. También se puede transmitir la importancia de la lectura y la escritura a través de la lectura de cuentos o de los letreros que hay en la calle o en el supermercado, etcétera. En definitiva, por medio de todas aquellas actividades que inciten la curiosidad y fomenten el interés de saber qué se dice en ellos. Para estimular el desarrollo del lenguaje hay que potenciar esta capacidad de forma reiterada y en contextos significativos, para que vayan comprendiendo el significado de las palabras, y poco tiempo después, sean capaces de utilizarlas. Es importante acompañar las acciones cotidianas de lenguaje, ya que de este modo se van creando las condiciones necesarias para que se desarrollen y amplíen las habilidades comunicativas de los pequeños. Un ejemplo sería cuando les ayudamos a vestirse, o cuando les explicamos lo que hay dentro de una caja de juguetes o cuando les preguntamos mientras señalamos un vaso: «¿Quieres un poquito de agua?» Es en este ámbito de relaciones afectivas y contextos significativos donde aparecerán y evolucionarán las primeras intenciones comunicativas. Cuando más personalizadas sean estas interacciones, mejor podremos adaptar la estimulación lingüística.

Por otra parte, hay que tener en cuenta que en la educación primaria podrían aparecer dificultades escolares, ya que es cuando se empiezan a utilizar las habilidades lingüísticas de una forma más compleja. Si estas surgieran, habría que consultar a un especialista para que ayudara a determinar si están relacionadas con el lenguaje. Esto es importante, puesto que en determinados niveles, los aprendizajes escolares conllevan una carga lingüística que no les es posible afrontar de manera eficaz, puesto que el lenguaje adquirido hasta el momento no es suficientemente competente. Si es así, tal vez se precise la intervención de un especialista para que ayude al niño a poder desarrollar el resto de habilidades lingüísticas que pueden estar afectando al rendimiento escolar.

Dificultades de aprendizaje

En los niños adoptados, la falta de estimulación y de experiencias previas hace que el cerebro no haya tenido las oportunidades necesarias para madurar en algunos procesos básicos como la atención o la memoria que se adquieren a través de la estimulación educativa y que son fundamentales para conectar con la realidad, interiorizarla y organizarla. Así, es necesario ayudar a que se desarrollen estos esquemas de funcionamiento básicos, ya que de ellos dependerán otros aprendizajes más complejos.

En los niños adoptados es frecuente observar una escasa capacidad para concentrase, dificultad para mantener la atención, así como problemas de memoria, entendida esta como la capacidad de almacenar conocimientos y recuperarlos en el momento oportuno. Todo ello, como se ha visto con anterioridad, puede tener su origen en las primeras etapas del desarrollo, por la falta o carencia de interacciones reiteradas que requieran mantener la atención, la falta de estimulación en diferentes áreas, los cambios frecuentes, etcétera, que interfieren en un adecuado desarrollo de la capacidad de atención, que

habrá que trabajar para intentar fomentarla al máximo, puesto que es uno de los procesos básicos más importantes para poder asentar nuevos aprendizajes.

A menudo, la falta de atención también se debe a una escasa seguridad en sí mismo, a una baja autoestima o al miedo a un nuevo abandono. Estos aspectos pueden conducir a un bloqueo emocional que impida que el niño pueda mantener la atención cuando esta es necesaria. Es importante conocer bien las causas de esta falta de atención y de concentración, ya que muchas veces estas dificultades se confunden con un déficit atencional de origen neurobiológico que en algunos casos requiere medicación. En muchos niños adoptados el origen no es orgánico, por lo que con el apoyo y la ayuda necesaria es posible favorecer el desarrollo de dichos procesos.

Hay que tener en cuenta que todos los niños van aprendiendo a través de procesos básicos que tienen algo de innatos, como la percepción, la atención, la memoria o los esquemas de conocimientos, pero pueden ser estimulados para lograr unas bases sólidas desde las que integrar nuevos aprendizajes y conocimientos.

La falta de experiencias y posibilidades de aprender de una forma sistematizada también les lleva a menudo a mostrar dificultades iniciales para interpretar las experiencias y las situaciones cotidianas; les cuesta la organización temporal y el manejo del tiempo (presente, pasado, futuro). Con frecuencia tienen dificultad para entender y aprender de las experiencias, comprender las intenciones y las actuaciones de los demás. Esto les lleva a una falta de motivación debido a que se ven frente a unas exigencias fuera de su alcance, ya que no entienden muchas cosas de las que se les pide, ni comprenden muchas situaciones o comportamientos de los demás.

Las dificultades con las que se pueden encontrar los niños adoptados al inicio de su escolarización pueden hacer que el pequeño se sienta inferior a sus compañeros por ver que no puede seguir el ritmo o el nivel de la clase, y esto puede conducir a sentimientos como la culpa, la rabia, la soledad, y también a otros como la inquietud, el aislamiento o la inhibición.

Cómo actuar frente a las dificultades

Las dificultades que se han ido comentando, y que en mayor o menor medida pueden aparecer en los niños adoptados, hacen que estos tengan más posibilidades de presentar problemas académicos. Para estos alumnos, la escuela supone un reto difícil de superar, por sus exigencias, sus normas y sus expectativas. Si el sistema educativo y la familia no son sensibles a las necesidades educativas temporales o permanentes que puedan necesitar estos niños, habrá más comportamientos de riesgo y, de igual modo, más riesgo de fracaso escolar.

El avance del niño dependerá en gran parte de la seguridad y confianza que el menor vaya adquiriendo con su nueva familia. Cuanto más seguro se sienta en el nuevo hogar y en su entorno, más avanzará en los aprendizajes y mejor podrá alcanzar el nivel de la clase. No hay que presionar en los aprendizajes si los vínculos no están bien establecidos con la familia, ya que el apego seguro con los padres es el punto de partida desde el que evolucionar, puesto que los padres son la base segura desde la cual los niños se atreven a explorar el mundo que los rodea. Cuanto más seguro se sienta, más explorará, descubrirá, y así podrá ir avanzando en los aprendizajes. El niño no aprenderá hasta que no se sienta seguro en casa y entienda el idioma y todo lo que le rodea.

Es importante que el contexto escolar sea estable y seguro y que le permita tener experiencias de éxito, y que se le reconozcan los pequeños logros por insignificantes que sean, ya que son la principal fuente de motivación. Cada niño es un mundo, y por eso hay que tratar cada caso desde la individualidad, observando las necesidades de cada uno, siendo flexibles y dando las repuestas necesarias de forma personalizada. Hay que marcarse unos objetivos de aprendizaje en función de su nivel de desarrollo y sus capacidades. Por ello es imprescindible centrarse en el niño y no en las expectativas de los adultos.

La relación con los compañeros

Los niños pasan la mayor parte del día en la escuela, donde suceden muchas situaciones e interacciones con adultos y con otros niños, y donde, junto con la familia, van a aprender a convivir, a relacionarse y a que se desarrolle su personalidad. Como ya se ha visto, la escuela es lo más parecido a una institución, por esta razón habrá niños que puedan vivir las relaciones del colegio con cierta inseguridad y desconfianza. A menudo les cuesta confiar en las nuevas personas de su entorno, ya que están condicionados, debido a las diferentes experiencias afectivas y sociales que han vivido hasta el momento y, que, en la mayoría de los casos, no han sido buenas o han acabado en un abandono. Por este motivo es frecuente observar cómo los primeros días que empiezan el colegio parecen ser muy sociables, se relacionan con todo el mundo, van con cualquiera que muestre interés por ellos, etcétera. Esta sociabilidad exagerada nos indica que todavía no ha conseguido establecer unos vínculos seguros. Esta manera de relacionarse de forma insegura lleva a que muchas veces los niños adoptados pongan a prueba tanto a los educadores como a sus compañeros, ya que tienen que probar la confianza de estos hasta entender que no van a perder ni su relación ni su cariño. Este hecho les dificulta controlar sus deseos, ser obedien-

Es frecuente observar cómo, durante los primeros días de colegio, algunos niños adoptados parecen ser muy sociables y se relacionan con todo el mundo. Esta sociabilidad exagerada nos indica que todavía no ha conseguido establecer unos vínculos seguros.

existir dentro de un grupo. En una clase, puede haber niños muy diversos: adoptados, procedentes de otros países, con alguna dificultad, etcétera. Es el profesor quien se debe encargar, junto con la familia, de tratar dichas diferencias para evitar cualquier situación desagradable entre los alumnos. Los maestros son los encargados de fomentar un entorno acogedor, donde todos sus alumnos puedan sentirse bien, con independencia de cuál sea su origen o familia.

¿Cómo se puede ayudar desde la escuela a comprender lo que significa ser adoptado?

- Trabajando los orígenes. Los maestros deberían hablar de que hay niños que han nacido en otros países pero que ahora viven en otro lugar con sus padres, u otros niños que, como sus padres biológicos no les podían cuidar, ahora residen con unos padres que les cuidan y en otro lugar diferente al que nacieron. Este tema hay que trabajarlo con la colaboración de los padres, ya que es fundamental que se diga lo mismo en casa y en el colegio y que exista una coherencia.

tes, asimilar y seguir las normas, aceptar los límites que se les marcan o no cumplir con sus obligaciones. Estas conductas los llevan, en ocasiones, a tener confrontaciones con otros compañeros, sobre todo cuando son más mayores, ya que a los demás les cuesta entender por qué se le permiten ciertas cosas o ciertas conductas que al resto no se le consiente. Ante este tipo de dificultades, el profesor debe trabajar las diferencias que puedan

Hay que tener cuidado con el lenguaje que se utiliza para hablar del tema de la adopción. Habría que hacer referencia a padres biológicos o padres que les vieron nacer, y evitar conceptos como padres verdaderos.

- Trabajando la igualdad y la diferencia entre las personas. Es importante comentar las diferencias étnicas que podemos encontrar dentro de un grupo, hacerles mirar a su alrededor y que se fijen en que todos somos diferentes, algunos por el color de la piel, otros por el color de los ojos, por la altura, el color del pelo, etcétera. Hay que enseñarles que cada uno de nosotros somos distintos, aunque hayamos nacido en el mismo lugar. También hay que tratar el tema de las diferencias que existen a nivel de costumbres, cultura y lengua; hay que hacerles comprender que lo diverso implica riqueza y que todos tenemos siempre algo que enseñar y algo que aprender de otras personas.

  Las diferencias hay que vivirlas y transmitirlas como riqueza, ya que nos ayudan a ampliar la visión y la comprensión del mundo en el que vivimos.

- Trabajando los diferentes tipos de familias. Los niños deben saber que existen familias monoparentales, de acogida, adoptivas, niños que viven con otro familiar, familias con muchos hijos, con un único hijo, etcétera. Han de conocer y vivir con normalidad los diferentes modos que existen de crear una familia y entender que cada niño tiene una manera distinta de formar parte de su familia.

  La familia y el colegio han de ayudar a integrar los nuevos modelos familiares y transmitirlos con naturalidad para que el niño los viva también con naturalidad.

- Trabajando el respeto por la privacidad. Desde el colegio hay que trabajar que cada uno tiene derecho a su intimidad, ya que con la adopción internacional aparecen preguntas muy evidentes, y si se trabajan estos temas en clase pueden aparecen muchas cuestiones que a veces incomodan a los niños adoptados. Preguntas como: «¿Por qué tus papás no se querían quedar contigo?» son muy frecuentes entre los niños, por eso los padres y los maestros deben estar preparados, por una parte, para explicar a los niños que a veces hay padres que, por diferentes motivos, no pueden cuidar de sus hijos y, por otra parte, para proteger la intimidad de los alumnos y ayudar a marcar unos límites que todos puedan respetar. Los niños adoptados necesitarán ayuda para saber poner límites a su privacidad; por consiguiente, hay que ayudarles a que puedan responder de una forma adecuada, pero teniendo muy claro que les pueden preguntar muchas cosas, aunque son únicamente ellos los que deben decidir si quieren contestar o no con total libertad.

Desde casa y desde el colegio hay que tener en cuenta todas estas cuestiones que son, sobre todo, muy evidentes con la adopción internacional, y se puedan anticipar y trabajar antes de que aparezcan dificultades de relación con los compañeros por no saber qué contestar a determinadas preguntas, o por sentirse diferentes. Todas las diversidades que pueda haber en una clase, sean del tipo que sean, si no se trabajan correctamente, se corre el riesgo de que puedan llegar a ser una fuente de conflictos interpersonales, además de influir de manera directa en la autoestima y el autoconcepto de estos niños. Para tener una buena autoestima, todos necesitamos sentirnos aceptados y queridos tal y como somos, y en la escuela el niño pasa una parte muy importante de su vida.

Si las diferencias se tratan y se viven con naturalidad, se ayuda a que estas no constituyan un problema. Padres y maestros deben favorecer ambientes en los que los niños se puedan sentir incluidos a través de comentarios positivos que tengan en cuenta la diversidad. Los adultos tienen la responsabilidad de educar para una sociedad plural y respetuosa con la diversidad. Las respuestas claras y sencillas son la mejor forma de ayudar a comprender la adopción.

«antes de adoptar me planteé si podría
quererle tanto como al mayor. Ahora sé que sí»

Ampliar la familia: los hermanos

A pesar de que en nuestro país las familias cada vez tienen menos hijos, la mayoría de parejas, e incluso familias monoparentales, se plantean formar una familia con más de un hijo. Las motivaciones que llevan a los padres a tener más de un hijo son variadas. A veces responden a una percepción subjetiva, ya que siempre han pensado en formar una familia con más de un hijo, de manera que no la sienten completa hasta la llegada del segundo e incluso del tercer hijo. A menudo esta motivación se debe en gran parte a la historia vivida en la familia de origen de los propios padres. Otro motivo puede residir en el hecho de ofrecer un hermano al hijo que ya tienen («para darle un hermano a mi hijo»), esperando que así su hijo/os se enriquecerán con la llegada de un hermano y se sentirán apoyados por la relación fraterna. Una tercera motivación puede venir, en el caso de padres que han vivido la experiencia de ser hijos únicos, de no querer reproducir el mismo modelo familiar que ellos han vivido.

Tengan el fin que tengan, las relaciones fraternales, con independencia de si son buenas o no, de si son cariñosas o entre hermanos muy opuestos, son de las relaciones íntimas humanas más duraderas y constantes, puesto que normalmente perduran más que la mayoría de relaciones de amistad y van más allá de la existencia de los padres, incluso después de la formación de parejas y de la experiencia de tener hijos.

En nuestra sociedad actual, cada vez existen más tipos distintos de familias, así como formas de ampliarla, en especial cuando hablamos de adopción. En algunas ocasiones se opta por la adopción cuando en la familia ya hay un hijo biológico o incluso más de uno; otras, tiene lugar un embarazo después de la adopción, y en un tercer caso puede que después de una adopción se inicien los trámites para una segunda. En cualquier caso, igual que en la filiación biológica, con independencia del modo con el que se decida ampliar la familia, al hacerlo se producen cambios en la estructura familiar que afectan a todos sus miembros. Así pues, adoptar significa convertirse en padres e hijos, pero, inevitablemente, también significa ser hermanos si es que ya se tiene hijos.

¿Qué significará esto para ellos? ¿Y para los padres? Ante la llegada de un nuevo hijo surgirán siempre ciertos temores, que aumentarán si ya se tienen hijos, al pensar en las consecuencias que va a tener para ellos la llegada de un hermano. A algunos padres puede preocuparles cómo van a ser capaces de manejar la nueva situación, al mismo tiempo que pueden preguntarse por cómo van a ser las reacciones de ambos niños, no solo cómo va a reaccionar el nuevo hermano, sino también el hijo que ya tienen. ¿Se entenderán? ¿Facilitará la adaptación el hecho de tener un hermano o será una dificultad añadida? ¿Cuándo llegarán los celos?

Estas y otras muchas preguntas pueden plantearse ante la llegada de un nuevo hijo, puesto que es un momento intenso para todos los miembros de una familia, lleno de emociones y de sentimientos a veces encontrados. Pero sobre los padres recae la responsabilidad de preparar esta nueva situación en la medida de lo posible para evitar imprevistos o sorpresas que puedan dificultar este hecho. Por este motivo, en este capítulo se intentará repasar cada una de las situaciones que se pueden plantear al ampliar la familia adoptiva, qué implicará para cada uno de sus miembros y cómo podemos prepararnos para afrontar estas situaciones de la mejor forma posible.

En casa ya hay otros niños

Tenemos un hijo biológico y uno adoptado. ¿Los querremos por igual? ¿Se querrán ellos como hermanos?

Para las familias que ya tienen un hijo biológico y deciden adoptar para acceder nuevamente a la paternidad, esta es una decisión que genera muchos interrogantes y cuestiona muchas cosas. Este proceso requiere una reflexión profunda, ya que en función de cómo se produzca la llegada del nuevo hijo dependerá su adaptación y la de toda la familia. Lo primero que deben hacer estos padres es plantearse qué motivación les lleva a adoptar: ¿no pueden tener más hijos biológicos?, ¿desean vivir y que su hijo mayor también viva una experiencia diferente? Estos y otros motivos pueden llevar a los padres a la adopción, y es importante tenerlos presentes, puesto que en gran parte van a condicionar determinados aspectos de la llegada del nuevo hijo y la posterior adaptación familiar. ¿Qué ocurrirá si las cosas no salen como uno esperaba? Si la familia adopta por una cuestión solidaria, por ejemplo, ¿qué sentimientos van a despertarse en los padres?

«Mi mujer y yo nos decidimos a adoptar un niño africano para que nuestros hijos vivieran de cerca las diferencias que hay en nuestra sociedad y aprendieran unos valores que para nosotros son muy importan-

Los sentimientos entre hermanos se crearán a partir de la convivencia en el hogar familiar y dependerán del papel que cada uno de los hermanos ocupe frente a sus padres.

tes. Pero el primer año de convivencia con nuestro hijo adoptado fue tan malo y los dos mayores lo pasaron tan mal que en más de un momento pensamos que habíamos tomado una decisión equivocada…»

Naturalmente, todas las familias querrán a todos sus hijos, tanto si son biológicos como adoptados, pero a cada uno de ellos de manera diferente, en función del vínculo establecido con cada uno. Pero casi siempre, los padres en este tipo de familias temen por sus propios sentimientos y también por los de sus hijos. Por una parte, tienen miedo a querer más al hijo biológico que al adoptivo, situación que puede llevarles a la sobrecompensación hacia el hijo adoptivo o bien a actitudes minuciosas de igualdad de dar a cada hijo «exactamente lo mismo», cayendo en la indiferenciación de estos, es decir, evitando reconocer las diferencias y particularidades de cada uno de ellos. Y los niños no necesitan un trato igual, sino único, un trato que les haga sentir exclusivos. Cada hijo tiene sus particularidades, cada uno de ellos es único y sus necesidades también son únicas. De esta manera, al tratarlos a todos por igual, ninguno de ellos estará satisfecho.

Por otra parte, estos padres temen por cómo será la relación entre estos hermanos y por si sabrán manejar la situación sin hacer diferencias entre el hijo biológico y el adoptado, y que este no se sienta diferente o no reconocido en relación al hermano. A pesar de que puede parecer que el nuevo hijo sea alguien ajeno para su hermano mayor por poseer otra historia, el hecho de no compartir el mismo código genético no modifica el proceso de hermandad. Los sentimientos entre hermanos se crearán a partir de la convivencia en el hogar familiar y dependerán del lugar y papel que cada uno de los hermanos ocupe frente a sus padres.

Los celos, como en cualquier relación entre hermanos, también estarán presentes en este tipo de familias, aunque, en función de la edad de cada uno de los hermanos, se plantearán unas reacciones u otras en los pequeños. Los celos suelen manifestarse cuando la diferencia de edad entre los niños es de entre dos y cuatro años, pero en ocasiones pueden aparecer de manera más precoz. Los sentimientos de rivalidad y los celos son un elemento común en cualquier familia donde haya hermanos, sobre todo si tienen una edad semejante, aunque la rivalidad puede producirse entre hermanos con años de diferencia. Así pues, los celos son un sentimiento tan natural en los niños que a los padres les deberían preocupar más los hermanos mayores que no manifiesten

ninguna agresividad hacia sus «rivales» o «competidores» que los que la expresen de forma abierta. En toda relación fraterna surgirán celos y rivalidades, se experimentarán sentimientos de envidia y de rabia, se compartirán secretos, se crearán alianzas y se ofrecerán apoyo y ayuda. Los hermanos funcionan como una fuente constante de identificación y aprendizaje mutuo.

Cuando un niño espera la llegada de un hermano imagina a alguien semejante a él, con quien podrá compartir juegos, travesuras y convertirse en cómplices. Pero cuando por fin llega su hermanito, lejos de lo que había imaginado, ese pequeño llora, molesta hace reír a los mayores, le quita la situación de privilegio y genera reacciones ambivalentes. Es con la convivencia y en el día a día cuando la calidad de la relación se va modificando. Existen altibajos, y el vínculo *de* hermanos se convierte en un vínculo *entre* hermanos. Pero siempre hay que estar muy atento a las manifestaciones de celos, tristeza y ansiedad que muestren los niños. Las más frecuentes son: desobediencia, retraimiento o timidez, búsqueda de atención, llanto, terquedad, conductas fastidiosas, alteración del sueño y de los hábitos alimentarios, agresividad, regresiones y, por último, aunque parezca paradójico, obediencia y colaboración.

«Cuando adoptamos a Sonia, Alex, a pesar de ser travieso, no tenía celos, o eso creíamos nosotros, porque se comportaba mejor que nunca y obedecía a la primera, ¡parecía otro! Hasta que un día, cuando creía que no le veíamos, nos sorprendió ver que la fastidiaba y le daba pellizcos. Entonces comprendimos muchas cosas…»

Normalmente, la mayoría de los niños actúan durante un tiempo de forma diferente o cambian ciertos aspectos de su conducta habitual ante la llegada de un nuevo hermano para llamar la atención. A veces pueden producirse regresiones o pasos atrás en conductas y/o hábitos que en apariencia ya tenían consolidados (vuelven a mojar la cama, quieren nuevamente el biberón o el chupete, hablan como un bebé, se pegan a la madre todo el día, etcétera). No obstante, a pesar de tratarse de algo muy normal, los celos y los comportamientos que estos generan preocupan a los padres y, en algunos casos, pueden llegar a ser muy molestos.

«Al cabo de unas semanas de haber adoptado a su hermano, Jaime les dijo a sus padres: "Vale, esto de la adopción ha sido muy bonito y nos lo hemos pasado muy bien, pero ¿cuándo se va mi hermano y volvemos a estar como antes?".»

¿Cómo deben actuar los padres ante esta situación? En primer lugar es imprescindible conectar con el hijo y tomar conciencia de que un niño celoso es un niño que sufre. Así pues, será necesario entender cómo se siente y empatizar con sus emociones tratando de ponerse en su lugar. Es importante no burlarse nunca de él ni ridiculizar sus

sentimientos. En segundo lugar, los padres deberán hacerle comprender que no ha perdido su cariño, sino que el tiempo y la atención de que antes disfrutaba en exclusiva, ahora deben ser compartidos con el hermano. Y, por último, deben averiguar qué necesidades específicas tiene el niño que muestra celos e intentar satisfacerlas en la medida de lo posible; como ahora tienen menos tiempo que ofrecerle, la atención que le presten tendrá que ser más selectiva.

Los niños deben ir aprendiendo a adaptarse de forma gradual, y en este proceso los padres deben ayudarlos aceptando sus sentimientos como normales y permitiéndoles hablar sobre ellos. Con esta actitud contribuirán a que la situación sea más fácil para toda la familia.

En condiciones normales, los celos pueden resolverse con afecto y ternura, tranquilizando al niño sobre el amor que sus padres sienten por él. A medida que se sienten de nuevo seguros, recuperan sus comportamientos normales. En general, este tipo de conductas (agresividad, regresiones, etcétera) desaparecen en cuestión de unos meses, y a partir de entonces los hermanos se enfrentan pacífica-

Ante la llegada de un nuevo hermano, los niños deben adaptarse de forma gradual, y en este proceso los padres deben ayudarlos aceptando sus sentimientos y permitiéndoles hablar sobre ellos.

mente en innumerables competiciones. Si a pesar de haber transcurrido un tiempo prudencial, el hijo mayor no recupera sus conductas normales y no se adapta a la nueva situación, se deberá consultar con un especialista para averiguar qué dificultades se están planteando.

En el caso de las familias adoptivas, se suma el hecho de tener dos hijos que han llegado de forma diferente a la familia y que probablemente son muy distintos étnicamente, por lo que todo esto puede generar diversos sentimientos en cada uno de ellos. Al contrario de lo que se suele pensar, los celos no siempre serán del hijo adoptivo hacia el biológico por haber sido gestado por los padres adoptivos, sino que también el hijo biológico sentirá celos de su hermano adoptivo por considerar que sus progenitores lo han elegido y buscado especialmente. Ambos hermanos, como toda familia, deberán reconocer las diferencias y semejanzas que les ha tocado vivir.

¿Qué ocurre si la llegada del nuevo hijo no es a través de la adopción? ¿Qué pasa si después de la adopción tiene lugar un embarazo?

En ocasiones puede suceder que el orden sea inverso y después de adoptar a un hijo, el segundo llegue de forma biológica, bien de manera voluntaria o de forma inesperada. De nuevo, es importante revisar junto al hijo mayor las motivaciones que llevaron a los padres a adoptarle: ¿no podían tener hijos y ahora sí?; ¿qué pasará ahora con el hijo adoptado?; ¿qué lugar ocupará?

En este caso, a los temores de los padres anteriormente descritos se sumarán otros: ¿el orden de llegada de los hermanos alterará la adaptación familiar?; ¿cómo vivirá el hijo el embarazo y la llegada de un hermano?

Aunque para los padres pueda resultar obvio, es muy importante aclarar al hermano mayor que el bebé no viene a sustituirle, sino a completar la familia. En estas familias, el hijo adoptivo ha sido el primero en llegar y a las dificultades que conlleva el hecho de ser adoptado y asumir todo lo que esto implica, se le suma la dificultad de vivir un embarazo de su madre. Ver cómo crece otro bebé en su vientre le despertará muchos interrogantes acerca de sus orígenes (¿de qué barriga nací yo?, ¿quién me cuidó cuando nací?, etcétera), y probablemente le removerá el deseo de que él también hubiera querido salir de esa misma barriga, lo que a menudo va acompañado de un proceso de duelo. Sin duda es una situación muy delicada para el hijo mayor, y los padres deben estar muy atentos a todos sus sentimientos, tratando de que pueda expresarlos, recogiéndoselos e intentando conjuntamente trabajar sus orígenes. De manera inevitable, esta situación influirá también en los padres, y es importante pararse a pensar qué sentimientos se están despertando. ¿Cómo viven los padres el hecho de poder ofrecer cosas al nuevo hijo que no pudieron dar en su día al mayor? (sentirlo en el vientre, verlo nacer, darle el pecho, etcétera). En función de cómo integren los padres todos estos sentimientos, lo hará también su hijo mayor.

El problema a veces surge cuando no es un embarazo planificado o no se han valorado las consecuencias, ya que puede llegar en el momento más inesperado, y nacer antes de haber logrado una adaptación completa del hijo mayor a la familia. En estos casos, los padres se encuentran ante dos hijos que, a pesar de no tener la misma edad, piden exclusividad al mismo tiempo y presentan necesidades muy distintas.

«Lan-Chi tenía dos años cuando sus padres viajaron a China para adoptarla, había sido una decisión muy reflexionada y ella era una niña muy deseada. Pero sin saberlo, en ese momento su mamá estaba embarazada, a pesar de que los médicos habían descartado cualquier posibilidad de embarazo. Durante la gestación, su madre necesitó reposo y no pudo ocuparse de Lan-Chi como hubiera deseado, y siete meses después de su llegada a casa, nació su hermana pequeña. Aparentemente todo iba bien, no había síntomas evidentes de celos pero poco tiempo después, Lan-Chi empezó a decir que quería regresar a su país. Probablemente por su carácter no había dado problemas que pusieran en evidencia sus dificultades de adaptación, pero en realidad le costaba encontrar su lugar dentro de su nueva familia a pesar de que sus padres se esforzaban por prestarle la máxima atención, pero las necesidades de un bebé, la casa, el trabajo, etcétera, les absorbían.»

Cambios en la vida de todos. ¿Cómo prepararnos?

La llegada de un nuevo hermano implica un cambio muy grande en cualquier familia, ya que no solo se pasa a ser uno más, sino que las relaciones cambian y a menudo los papeles de cada uno se modifican. Es un momento difícil para los niños pequeños, y en los padres recae la responsabilidad de ayudarlos a que este momento resulte más fácil, pero para los padres también supone un momento difícil, puesto que conlleva una reorganización de la dinámica familiar, que en muchas ocasiones implica una sobrecarga de trabajo en lo que respeta al cuidado de sus hijos, y esto repercutirá en su estado físico y anímico, con lo que también alterará su dinámica de pareja.

Como se decía anteriormente, ante la llegada de un nuevo hijo, en cualquier familia aparecerán dudas, miedos y sentimientos a veces ambivalentes, que aunque son normales y legítimos, necesitan una preparación. En el caso de la adopción, la llegada de un nuevo hijo requiere aún más preparación, porque son muchos más los interrogantes que pueden surgir: ¿cómo vivirán los hermanos el proceso de adopción?, ¿cómo será el primer encuentro?, ¿cómo se adaptará toda la familia?, ¿qué consecuencias tendrán las diferencias de edad o de cualquier otro tipo entre los hermanos?, etcétera.

Dicho esto, los padres, en esta situación, se plantearán cómo deben actuar a lo largo de este proceso. La respuesta es con anticipación y preparación. Los padres deben reflexionar acerca de cómo va a repercutir en la vida familiar la llegada de un nuevo hijo, y más teniendo en cuenta la manera en que este llegará, cómo les afectará en cuanto a tiempo y espacio (físico y mental), a nivel logístico, en la dinámica de pareja y en relación al hijo que ya tienen. Es necesario llevar a cabo un análisis de los recursos que poseen, así como de las limitaciones, para de este modo poder mejorar en lo que sea necesario.

Otro aspecto es cómo preparar al hijo que ya hay en casa para la llegada de un hermano. ¿Hay que comunicarle al hijo mayor que va a tener un hermano? La respuesta es que sí, y que deben hacerlo los padres, pero para decidir cómo y cuándo, la edad será un factor importante que debe tenerse en cuenta. Cuando los niños son muy pequeños, no poseen el concepto del tiempo ni perspectiva de futuro, de manera que una larga espera hasta la llegada del hermano puede causarles pérdida de interés o incluso pueden llegar a creer que la situación en la que viven no cambiará nunca. Este hecho, sumado a los crecientes tiempos de espera que se están dando en la mayoría de procesos de adopción, hace que sea recomendable en caso de que el niño sea pequeño, esperar un tiempo a comunicarle la decisión de adoptar y anunciárselo cuando empiecen a aparecer cambios eviden-

Una vez se haya comunicado la noticia de la llegada de un hermano, hay que hacer partícipe al niño que ya hay en casa del proceso, hablarle del tema y tratar de responder a sus preguntas y posibles inquietudes.

tes en su entorno (la preparación de la habitación, del viaje, etcétera). Una vez se le haya comunicado la noticia, hay que hacerle partícipe del proceso, hablarle del tema con naturalidad y mantenerle siempre informado, tratando también de responder en la medida de lo posible a sus preguntas y posibles inquietudes.

Por supuesto, tampoco es necesario hablar constantemente del nuevo hermano y no se le debe abrumar con mucha información, puesto que él ya preguntará cuando le interese. Aunque siempre debemos extrañarnos si no pregunta absolutamente nada, esto no implica que no tenga inquietudes. Es impor-

tante hablarle en plural («nuestro» y «nosotros») para ir incluyendo al nuevo hermano como un miembro más al que hay que querer y cuidar.

El tiempo de espera puede convertirse en un aliado para la preparación de todos, tanto padres como hijos, ante la llegada del nuevo hermano. Para ello, es necesario informarse acerca de cómo son los niños de la edad del que se adoptará, cómo se desarrolla el apego de un niño adoptado, qué características presentan los niños del país donde se ha decidido adoptar, decidir si el hijo mayor hará el viaje junto con sus padres, preparar el viaje, etcétera. Este es también el mejor momento para introducir todos aquellos cambios que afectarán al hijo mayor con la llegada de un hermano (cambio de habitación, comer y vestirse solo, entre otras cosas). Así, por ejemplo, si hasta ahora dormía con los padres y cuando llegue el hermano ya no podrá hacerlo, hay que acostumbrarlo a dormir solo en su habitación antes de su llegada, puesto que de no ser así podrá culpar al hermano de la pérdida de sus privilegios. Así pues, los padres deben hacer un ejercicio de anticipación de todos aquellos cambios que deben efectuar en la rutina del hijo mayor y llevarlos a cabo antes de la llegada del pequeño.

Es muy importante mantener una actitud abierta, flexible y paciente: a lo largo del proceso previo a la adopción, tanto los adultos como los más pequeños deben ajustar sus expectativas respecto al nuevo miembro de la familia, ya que este factor influirá en gran medida en el proceso de adaptación familiar. La familia debe estar preparada para incorporar cambios, ser conscientes de qué esperan del nuevo hijo o hermano y ajustar estas expectativas si es necesario. También hay que tener en cuenta que las experiencias previas del menor, es decir, lo que haya vivido antes de la adopción, influirán en el proceso de adaptación familiar; por este motivo, los padres deben tener unas expectativas realistas sobre las relaciones familiares y, en este caso, entre hermanos. Dado que cada niño es único y distinto, no habrá ni dos niños ni dos procesos de adaptación iguales, sino que cada uno tendrá sus propias necesidades y vivirá el proceso a su ritmo, en función de su manera de enfrentarse a los cambios y sus experiencias previas que solo él o ella interpreta de esa manera. Será importante que todos los miembros de la familia se hayan formado suficientemente para entender que, en ocasiones, el nivel madurativo y el comportamiento del recién llegado no se corresponderán con su edad cronológica y lograr empatizar con él. La actitud de los padres hacia los hijos deberá caracterizarse por la prudencia y el respeto, tanto a nivel afectivo como emocional, evitando forzar situaciones que puedan causar reacciones adversas.

La creación del vínculo no recaerá únicamente en el recién llegado, sino sobre toda la familia, por lo que será una cuestión de responsabilidad mutua. Una vez ajustadas las expectativas de todos, tanto padres como hijos, se podrá aprender a querer al niño tal y como es, sin esperar siempre que sea como a uno le hubiera gustado que fuese. Aceptarlo será el primer paso para establecer ese vínculo y, nuevamente, las vivencias anteriores de los menores influirán en este proceso.

¿Cómo debemos preparar a nuestro hijo para la llegada de un hermano?

- En primer lugar, los padres deben ayudarle a entender cómo será su nuevo hermano. Hay que explicarle al niño, de forma comprensible para su edad, como son los niños de la edad del que será su hermano (cómo y por qué lloran, cómo y cuándo duermen, qué comen, cómo se comportan, a qué juegan, etcétera). De este modo, le estarán ayudando a anticipar los cambios que vivirá para que sea más capaz de adaptarse.

- Conviene también explicarle y ayudarle a resolver sus dudas acerca de cómo será la relación de los padres con el nuevo hermano (cómo será un día típico y cómo pasaremos el tiempo con la nueva criatura, qué lugar ocupará en el corazón de los padres) y con todos los hijos (cómo tendrán que compartir el tiempo y el amor); y es importante también hablar con él sobre cómo será su relación con el nuevo hermano/a. Para poner todo esto en práctica se puede jugar con el hijo a decir una edad y que el otro vaya describiendo cómo se lo imagina, qué necesidades tendrá, con quién le gustará jugar y a qué, etcétera. Cada vez son más los materiales audiovisuales y los libros infantiles que pueden servir para hablar de este tema, y siempre son un buen recurso, ya que motivan mucho a los niños. Así, por ejemplo, la película *Stuart Little*, en la que aparece un hijo biológico y un ratón adoptado, puede ser un material adecuado para tratar este tema, viendo qué cambios viven cada uno de los personajes y qué sentimientos tienen, entre otras cosas.

- Es muy recomendable que los padres puedan compartir con sus hijos sus propios temores respecto a la nueva situación y expresar que hay cosas que les causan cierto respeto. Verbalizar este aspecto ayudará al hijo a expresarse más abiertamente. Por el contrario, si los padres dicen al hijo que todo es fantástico y perfecto, quizás este no se atreva a expresar sus dudas y reticencias. Aunque sean pequeños, la transmisión de información debe ser bilateral (de padres a hijos y de hijos a padres). Si no se da ejemplo y se pretende que sea unilateral, los hijos no sabrán cómo hacerlo y/o no querrán hacerlo.

- Paralelamente a la información que se le ofrece al niño, es importante averiguar qué siente y lo que le gustaría (posibles celos, sentimientos de enfado y tristeza, etcétera). Partimos de la base de que el primogénito experimentará todos esos sentimientos, y es importante que sepa que los padres le comprenden.

Prepararle para el nuevo acontecimiento es algo imprescindible y ayudará a los padres a planificar y a pensar cómo involucrarle en el proceso. Pero es importante no olvidar que por más que se le prepare, no se podrá evitar que experimente sentimientos intensos y quizá ambivalentes con la llegada del nuevo hermano. Sin embargo, sin esta preparación sería realmente difícil crear un ambiente de diálogo y ayudar al hijo mayor a expresar cualquier emoción o pensamiento, y este es un aspecto que se debe iniciar mucho antes de la llegada del nuevo hijo.

Por último, otra decisión importante que debe tomarse es si el mayor hará el viaje con los padres. Aunque es recomendable, hay que tener en cuenta factores como la edad del niño o si hay que vacunarle para entrar en el país, con lo que se podrían causar efectos secundarios serios, o bien si va a correr algún riesgo innecesario o incluso el número de viajes que se deban realizar. Hay que destacar que es recomendable asesorarse bien por el pediatra y valorar todos los pros y los contras.

Reorganización familiar

Los cambios que causará la llegada de un hermano al hogar son muchas veces motivo de conflictos con el hijo mayor, con la pareja e incluso con uno mismo. A menudo los padres sienten que tienen demasiadas cosas que hacer en muy poco tiempo y que deben renunciar demasiado a parcelas de su vida de las que antes gozaban (tiempo para relajarse, para estar a solas, leer, salir, dormir, etcétera). Para evitar estas situaciones es conveniente flexibilizar los niveles de exigencia y reorganizar algunas dinámicas.

Con el hijo mayor hay varios aspectos que deben reorganizarse ante la llegada de un hermano. Un punto importante es el espacio físico que ocupará el nuevo hijo, cuál será su habitación, si dormirá en una cuna que fue del niño mayor, si tocará sus juguetes, etcétera. Estos cambios deben plantearse antes de la llegada del hermano. Por ejemplo, si van a tener que compartir habitación, hay que comentárselo al mayor como un hecho consumado; quizá no le importe, pero tal vez sí. Si no está muy convencido, se le puede pedir su opinión acerca de la reorganización de su espacio y dejarle participar en la decoración, estipulando que ese espacio va a ser el cuarto de los niños. Si aun así rechaza la idea de compartir habitación, conviene hacerle ver que se

Ante la llegada de un hermano, hay varios aspectos que deben reorganizarse y hablarse con los niños que ya hay en casa. Uno de ellos es el espacio físico que ocupará el nuevo hijo.

reconocen sus sentimientos, pero que la decisión de los padres no se puede cambiar.

Una vez llegue el nuevo hermano a casa, los conflictos con el mayor pueden ir en aumento porque deben aprender a convivir y, por supuesto, a quererse. Así, por ejemplo, es muy frecuente que el mayor se enfade porque su hermano pequeño le ha pintado en su cuaderno del colegio, porque le ha roto su juguete, etcétera. En estos casos, los padres a veces suelen reaccionar pidiendo paciencia al mayor y excusando al pequeño, ya que no sabe lo que hace y, además, lo hace sin querer. Pero esto no resuelve el enfado del hijo mayor ni su impotencia, sino que, por el contrario, puede generar celos y malestar en el niño. Es aconsejable, pues, que los padres se pongan en el lugar de su hijo y traten de comprender sus sentimientos. Ante los conflictos tendrán derecho a sentirse enfadados y a que sus padres reconozcan su enojo.

Algunos consejos con respecto a la relación con el hijo mayor son:

- Mantener, tanto el padre como la madre, algunas de las rutinas que ya estaban establecidas en el hogar, sobre todo las que más le gusten al hijo mayor (leerle un cuento antes de irse a dormir, jugar con su juguete favorito, el momento del baño, etcétera), dedicándole así un momento de atención en exclusiva.

- Es también conveniente buscar momentos en que ambos padres le dediquen exclusividad conjuntamente. Un buen momento puede ser, por ejemplo, cuando el pequeño hace la siesta; en vez de aprovechar para realizar tareas domésticas, se le puede dedicar ese tiempo al hijo mayor.

- Permitir que el niño ayude en algunas de las tareas: llenar la bañera para su hermano, traer su ropita o pañales. Hay que darle siempre las gracias y elogiarlo por su colaboración.

- No utilizar para el nuevo hermano ningún objeto que el mayor quiera especialmente (mantita, juguete, etcétera) sin pedirle su permiso antes.

- Tolerar las pequeñas regresiones del hijo mayor, pero elogiando al mismo tiempo todos los progresos que consiga (vestirse solo, comer correctamente con sus cubiertos, recoger sus juguetes, etcétera).

- Enseñarle a tratar al nuevo hermano, explicarle que necesita más cuidados por ser más pequeño, y que todos los miembros de la familia deben enseñarle a caminar, a hablar, a jugar, etcétera.

- Establecer unas normas claras para mantener un correcto funcionamiento. Se deben fijar como norma solo aquellas que sean posibles de cumplir y hasta un número limitado. Para transmitirlas a los hijos se debe usar un lenguaje claro y comprensible y asegurarse de que lo hayan entendido.

Finalmente, una vez esté toda la familia junta, los padres deben trabajar al unísono para consolidar un sentimiento familiar compartido, cuidando aspectos como la celebración de fiestas y tradiciones, las comidas familiares, los rituales para ir a dormir, los libros, las canciones y los juegos, etcétera. Todo lo que hagan en familia contribuirá a que los hijos se sientan incluidos en la unidad familiar, y será en todas estas actividades donde podrán observar cuáles son las situaciones en las que los hermanos descubran cosas que ambos disfruten para luego reforzarlas.

La adopción de hermanos

El parto múltiple en adopción. ¿Cómo hay que prepararse?

Si la decisión de tener un hijo debe ir acompañada siempre de una profunda reflexión, en el caso de la adopción de un grupo de hermanos todavía se hace más patente. Este es un proyecto arriesgado que implica una dificultad mucho más elevada, ya que los padres deberán afrontar la llegada simultánea de dos menores de diferente edad con diversas realidades y necesidades. Una vez más, tanto la edad de los pequeños como sus experiencia previas a la adopción influirán de forma importante en su posterior adaptación, pero de la misma forma intervendrán las capacidades de los padres para lograr ajustar sus expectativas y afrontar los cambios que se avecinan.

Afrontar con éxito esta situación requiere unos padres muy comprometidos que hayan podido reflexionar en profundidad sobre qué va a implicar este paso en sus vidas. Precisamente por este motivo, este proceso requiere más formación, madurez, fortaleza y experiencia en el trato con niños para poder comprenderlos y empatizar con ellos, así como más tiempo para dedicarles.

El cambio en la organización de estas familias va a ser mayor por el hecho de incorporar dos hermanos a la vez. Si hasta ahora los padres vivían solos, es necesario que anticipen todos los cambios que van a producirse, que se informen sobre las edades de los que van a ser sus hijos y sobre qué características suelen presentar estos niños, y que se organicen para su llegada.

Ellos ya se conocían, nosotros ahora empezamos a saber quiénes son

Por el hecho de compartir un mismo origen biológico y los mismos progenitores, no se crea ya una relación de hermandad, sino que esta es mucho más compleja y se forma a partir de la convivencia, de los afectos y de las emociones compartidas en una familia. Son muchos los motivos que pueden haber provocado que estos hermanos ni siquiera se conozcan; quizá sepan que tienen uno o más hermanos, pero no necesariamente habrán vivido juntos. En ocasiones, por razones de edad o sexo, pueden haber vivido en instituciones u hogares diferentes, o incluso viviendo en la misma institución, pueden haberlos separado por grupos de edad. También se produce el caso de hermanos que, a pesar de haber convivido en la misma institución, no han podido diferenciar su vínculo con respecto a los otros niños con quienes también convivieron. Incluso a veces los hermanos han sido desamparados de la familia en distintas circunstancias y momentos y no han convivido nunca juntos. De modo que puede suceder que se adopte un

Difícilmente se establece un vínculo entre dos hermanos por el simple hecho de serlo. El despliegue del vínculo entre hermanos se logrará en el seno de la familia adoptiva al ser reconocidos por los padres adoptivos.

grupo de hermanos que no hayan convivido y no se conozcan, con lo que entre ellos no exista una relación fraternal. Es importante que los padres puedan imaginarse este tipo de situaciones y entiendan que difícilmente se establece un vínculo entre dos hermanos por el simple hecho de serlo. Por sí solos no se vincularán; es necesario motivarlos y estimularlos. Así pues, el despliegue del vínculo entre hermanos se logrará en el seno de la familia adoptiva al ser reconocidos por los padres adoptivos.

En otras ocasiones se produce una situación opuesta, y los hermanos han tenido trato pero, además, la situación de desamparo les ha unido más de lo que es habitual en una relación de hermanos, de manera que alguno de ellos ha tenido que desempeñar la función de padre o madre. Por lo general, el mayor suele ejercer un papel de defensa y protección del pequeño, lo que les ha permitido sobrevivir a todas las circunstancias adversas que han vivido previamente a la adopción. Al ser adoptados por una pareja o por una persona sola, su relación se modifica por el hecho de integrarse juntos a la nueva familia con el consiguiente reordenamiento de los papeles. Este proceso de reordenación no es nada fácil, ya que los hermanos, y sobre todo el mayor, pueden ver a los padres adoptivos como una amenaza para su relación fraternal. Por consiguiente, pueden tratar de impedir que los nuevos padres ejerzan su papel y los rechacen. Probablemente, el hermano mayor se resistirá a cambiar de papel, puesto que este le ha sido de utilidad en el pasado, y tardará un tiempo en comprender que este papel no tiene que ejercerlo un niño de su edad, sino los padres. Estos deben ofrecerles el tiempo necesario para que los cambios en cuanto a los roles sean progresivos, aunque a menudo los padres quieren normalizar la situación cuanto antes y desean, e incluso tienen necesidad, de ejercer de padres, puesto que ellos también han deseado y esperado mucho ese momento.

En tal caso es necesario que los padres se armen de paciencia y asuman el rechazo empatizando con el hijo mayor. Para ello, es preciso que conozcan y comprendan de antemano los modos de relacionarse que estos hermanos traen consigo, y deberán adaptarse a la llegada simultánea de dos niños de diferentes edades, donde por lo menos uno de ellos tiene una edad cronológica que no se corresponde a menudo con su nivel de autonomía y su desarrollo socioemocional. Puede que demande su atención en exclusiva y no quiera compartirlo con el pequeño, ya que él es quien se encarga de ello. En cualquier caso, surgirán tensiones y rivalidades con el otro hermano, que también demandará la atención de los padres. El momento más difícil aparecerá probablemente cuando los padres quieran asumir el papel que hasta ahora había ejercido el hermano mayor. Las familias que adoptan a un grupo de hermanos se encuentran con un sistema familiar ya constituido, y a veces el vínculo entre ellos puede ser de excesiva protección y de lealtad absoluta, priorizando el apego y negando los sentimientos ambivalentes propios de las relaciones fraternales. Estos hermanos comparten una historia y han creado sus propios códigos y formas de relacionarse, que a menudo pueden ser muy diferentes a las esperadas en nuestra sociedad debido a todas sus vivencias, pero los padres deberán conocerlas y comprenderlas. Solo así la nueva familia se irá modificando progresivamente, cambiando cada uno sus funciones para pasar a ser hijos de esos padres y reconocerlos como tales, lo cual no sucederá de un día para otro.

«Sehay fue adoptada junto a su hermana Abeba en Etiopía a los seis y dos años respectivamente. Vivieron con su madre, quien falleció debido a una larga enfermedad hasta pocos meses antes de ser adoptadas. Debido a la enfermedad de su madre, Sehay tuvo que llevar el peso del hogar y cuidar de su hermana y su madre. Ella le daba las medicinas y se encargaba de todo. Al ser adoptadas seguía ejerciendo el papel de cuidadora de su hermana, de la que se había ocupado desde su nacimiento, y no toleraba que sus padres le impidieran ocuparse de ella. A sus padres les costaba renunciar a hacer de padres y al principio se opusieron a que Sehay lo hiciera todo, ya que son tareas que no corresponden a una niña de su edad, pero poco a poco comprendieron por qué lo hacía y por qué no podía dejar de hacerlo de un día para otro. No fue fácil para ninguno de ellos…»

Sea cual sea la historia compartida por estos hermanos, lo que los padres deben tener claro es que no deben imaginarse esta adopción como la adopción de dos hermanos, sino que en realidad es más parecido a la adopción de dos niños realizada al mismo tiempo, puesto que cada niño presentará sus especificidades y se deberá respetar su individualidad. Además, el hecho de ser hermanos biológicos no garantiza que lleguen en las mismas condiciones de salud, puesto que cada embarazo es distinto, y la madre puede haber cuidado cada embarazo de forma muy distinta. Cada niño presentará ritmos de adaptación diferentes, y a veces un hermano resta protagonismo al otro, o incluso en ocasiones uno presenta más dificultades, con lo que los padres tienden a centrarse más en él y a «olvidarse» del otro, que no por no presentar dificultades aparentes los necesita menos. Será importante diferenciar a cada uno de los niños como un ser único e irrepetible, y establecer por tanto con cada uno de ellos una relación también única.

La llegada de un nuevo miembro a la familia: una nueva adopción

Los padres deciden adoptar a otro hijo. Llegará un hermano también adoptivo.

En el caso de las familias que afrontan una segunda adopción, la reflexión previa también debe incluir las motivaciones que llevaron a adoptar al primer hijo para poderlas compartir con él, así como las de los padres para adoptar a un segundo hijo. En estos casos puede surgir el temor a cómo afrontar una nueva adopción, cómo preparar al hijo para la llegada de un nuevo hermano, cómo tratar nuevamente el tema de los orígenes, qué vivencias desagradables va a tener al revivir el proceso, cómo se vincularán si no tienen la misma sangre, etcétera.

¿Cómo hay que prepararse? ¿Qué explicar y cuándo explicarlo?

En estas familias, el hijo mayor también fue adoptado, por lo que comparte con el que será su hermano la ausencia de embarazo y el hecho de ser criado por unos padres que no lo concibieron. Al producirse las dos adopciones en distintos momentos, difícilmente se tratará de un hermano biológico, sino que tendrán distintos progenitores, pero esto no debe preocupar a los padres, puesto que, como se ha comentado al principio de este capítulo, sentirse hermanos no depende del linaje, ni de compartir un mismo apellido, sino de la construcción del vínculo.

Lo que más suele preocupar a estas familias es cómo vivirá el hijo mayor el nuevo proceso de adopción, puesto que le hace revivir aspectos que han marcado su vida, y puede ser complicado en algunos momentos. Para poder

En el caso de las familias que afrontan una segunda adopción, el hijo mayor también fue adoptado, por lo que comparte con el que será su hermano la ausencia de embarazo y el hecho de ser criado por unos padres que no lo concibieron. Esto no debe de preocupar a los padres, puesto que sentirse hermanos no depende del linaje, ni de compartir un mismo apellido, sino de la construcción del vínculo en el seno de una familia.

«Alexia fue adoptada con un año y medio. Sus padres siempre decían que se hablaba del tema de la adopción con naturalidad. Ella fue la primera hija del matrimonio y vivió en primera persona la adopción de su hermano pequeño. Además, los padres seguían en contacto con muchas familias adoptivas que compartieron el viaje con ellos. Tenían cuentos, vídeos y fotos con los que a menudo hablaban de su adopción. Pero cuando su tía quedó embarazada, se sorprendió y le horrorizó que tuviera un bebé en la barriga y no fuera a adoptarlo.»

En este caso, Alexia creyó que todos los niños eran adoptados y que llegaban en avión. En otros casos, los niños explican que nacieron en un determinado país, sin entender que necesariamente han nacido de una barriga. Así pues, no se trata solo de explicarle al niño que es adoptado, sino que también hay que poder hablar de la realidad de la adopción y de los hijos biológicos. A veces, un buen momento para introducir este tema es cuando hay algún embarazo de alguien cercano, como un familiar o un amigo.

Recordar el pasado: el viaje, los primeros días en casa…

La llegada de un hermano por la vía de la adopción obliga a recordar tanto a los padres como al primogénito todo lo vivido hasta el momento. Quizá ya se haya hecho, pero es necesario comentarlo pensando en los cambios que se avecinan para poder anticipar qué sentimientos tendrá cada uno de los miembros de la familia. Hacerlo también ayudará a preparar al hijo mayor para vivir de nuevo la experiencia de la adopción, máxime si se viaja al mismo país donde se le adoptó a él.

llevar a cabo esta segunda adopción de la mejor forma posible para el hijo mayor, se debe comentar con él todo lo que implica la adopción de la forma más natural posible.

Una dificultad habitual en muchas familias es abordar el tema de los orígenes a tiempo, ya que a menudo piensan que el niño todavía es muy pequeño para entender según qué aspectos de la adopción, y esto hace que se hable con naturalidad de ciertas cosas pero no de todo.

De nuevo un viaje: ¿con quién?

Hay que decidir si el hijo va a realizar el viaje junto a los padres para ir en busca del nuevo hermano. En este sentido, ya se han mencionado algunos aspectos que deben tenerse en cuenta a la hora de tomar esta decisión (edad del hijo, número de viajes que deben realizarse, etcétera). Pero es esencial saber qué le genera el hecho de viajar para realizar una adopción como en su día hicieron sus padres por él, y más si la segunda adopción se realiza en el mismo país de donde procede él. ¿Le angustia revivir estos pasos? ¿Tiene ganas de vivir esta experiencia?

Si se decide que vaya con los padres, es importantísimo preparar debidamente al pequeño, hacerle partícipe para que sienta que es un proyecto de todos, y dejarle absolutamente claro e insistirle en que el viaje solo es para ir a buscar a su hermano. En este sentido, es necesario hablarle también de la vuelta a casa y dejar cosas preparadas para el regreso al hogar para que el niño entienda que es un viaje de ida y vuelta y que no puede pasar nada por el camino… ya que este es uno de los miedos más frecuentes a la hora de viajar al país de origen.

Un hijo diferente. Un hermano. Un nuevo miembro en la familia

Con la llegada de un nuevo miembro al hogar cada uno tiene que volver a encontrar su lugar. Este proceso tiene una duración variable, a veces puede durar meses y otras incluso años. Como todos los niños, los adoptados se muestran inseguros y desplazados por el recién llegado y los padres pueden llegar a sentirse culpables por querer otro hijo. Ante la llegada de un hermano, todos los niños experimentan emociones, sentimientos y pensamientos, pero hay que tener en cuenta que en el caso de los niños adoptados, estos

Ante la llegada de un hermano, todos los niños experimentan emociones, sentimientos y pensamientos, pero hay que tener en cuenta que, en el caso de los niños adoptados, estos pueden ser más intensos debido a la experiencia previa de abandono.

pueden ser más intensos debido a la experiencia previa de abandono.

Existe la tendencia de que es el padre quien se ocupa del hijo mayor y la madre del recién llegado, y esto no debe ser así; los padres deben esforzarse por repartirse con ambos hijos.

Otro aspecto que debe tenerse en cuenta son las diferencias entre ambos hijos. Al principio, los padres advertirán que lo que vivieron con el primer hijo no tiene nada que ver con el segundo, puesto que las necesidades de ambos son muy distintas. Este aspecto parece muy obvio cuando el segundo hijo es muy pequeño, puesto que se le trata como un bebé, pero si no es tan pequeño, la expectativa de los padres es de querer que funcionen de la misma manera. En este caso, también el hijo mayor reivindica que lo traten con los mismos derechos y privilegios que el recién llegado. Pero en realidad esto no puede ser así, aunque tengan edades parecidas, ya que el nuevo hermano precisa tiempo para adaptarse a todos los cambios, y los padres deben entenderlo y podérselo explicar debidamente al hermano mayor.

«para el niño era muy importante saber
que había sido cuidado por alguien»

La revelación y la búsqueda de los orígenes

La integración de los orígenes y la construcción de la identidad

La vida se desarrolla en historias, las que nos contamos sobre nosotros mismos, sobre aquello que nos sucede, y las que generamos a partir de lo que otras personas nos devuelven sobre nosotros mismos. No se trata de historias independientes, sino que se influyen mutuamente. El conocimiento no es hacia dentro ni hacia fuera, sino que se halla justo en el espacio que existe entre uno mismo y los demás. Lo genera cada persona a partir de la relación con su entorno, y el conocimiento sobre uno mismo no es una excepción. La identidad, por tanto, no es inmutable. No se descubre, sino que se construye y se reconstruye en la relación con los demás. Nos explicamos quiénes somos según la historia que hemos construido sobre nosotros mismos a partir de nuestra relación con los demás.

Precisamente por este motivo se habla de integración de los orígenes en la adopción. Porque si equiparamos la construcción de la identidad a la creación de una narrativa o una historia sobre uno mismo, lo que es básico para que la identidad sea saludable es que se trate de una historia en la que encajen los distintos elementos, que sean conocidos y que estén bien integrados. Tiene que ser una buena historia. ¿Y cómo se consigue? Pensemos en términos literarios. En una buena historia podemos identificar claramente una introducción o establecimiento de la trama, el desarrollo de la misma y un desenlace. Es una historia en la que los hechos se desarrollan de forma coherente, y existe una relación entre unos y otros. Puede haber más o menos movimiento narrativo (escenarios distintos, personajes que aparecen y después se van, nuevos personajes, nuevos hechos…) pero es un ir y venir que, antes o después, va adquiriendo sentido. Algunos hechos aparecen claros y diáfanos desde el inicio, mientras que otros se van descubriendo poco a poco y se comprenden más adelante, pero para que la narración se considere completa y bien estructurada, no deben quedar cabos sueltos, no debe haber fracturas narrativas, y si las hay se deben poder resolver.

Cuando alguien no puede dar sentido a algo que le ha sucedido, suele explicarlo con expresiones como: «me siento bloqueado», «siento un vacío», «mi vida no tiene sentido»… Estas expresiones las encontramos en el caso de personas que advierten que lo que les sucede es que tienen una fractura en su narrativa de identidad, aunque, obviamente, le den otro nombre. Por otro lado, los individuos que no saben dar sentido a lo que les está pasando llegan a las consultas médicas o psicológicas describiendo síntomas como ansiedad, mareos, taquicardias, desánimo, dolor de estómago, migraña, o con enfermedades cutáneas que han aparecido de repente. Y cuando se trata de niños, quienes, según la edad y sus circunstancias vitales todavía no saben cómo dar sentido a muchas de las cosas que les suceden, suelen llegar a las consultas manifestando los síntomas emocionales o físicos descritos, así como otros de tipo comportamental, como agresión a compañeros, conducta destructiva en casa, o de tipo social, como bajo rendimiento académico o dificultades en las relaciones con sus iguales.

Por tanto, para que las personas podamos construirnos a nosotros mismos de manera saludable, necesitamos coherencia narrativa. Todo debe tener sentido, no puede haber fisuras ni fracturas en la construcción de la historia sobre quién soy. Si visualizamos un libro, este debe tener todas sus páginas, desde el inicio hasta el final, y los distintos capítulos tienen que tener sentido tanto en sí mismos como en cuanto a lo que significan en relación con el resto de capítulos.

Siguiendo con la metáfora del libro, vamos a visualizarla en el caso de un hijo adoptivo, y es importante hacerlo, porque justamente los hijos adoptivos tienen historias complejas, con muchos elementos que deben integrarse. Como la vida de un hijo adoptivo no empieza el día en que llega a su familia adoptiva, tampoco debe hacerlo su historia. Aunque Iván fuera adoptado en Rusia a los dieciocho meses, con el paso de los años debe poder «escribir» su propio libro con todos sus capítulos, desde el momento de su concepción, en el contexto familiar, social y cultural en el

que se produjo, hasta el presente, y debe incluir también, en términos generales, aquello que imagina sobre cómo será su futuro.

Es cierto que en muchas ocasiones no se dispone de información fidedigna sobre los orígenes y, por tanto, el proceso de revelación se torna todavía más complejo, pero es necesario tener presente lo que se decía al inicio, que la identidad no se descubre sino que se construye. Como se verá más adelante, los padres tienen que poder ayudar a su hijo adoptivo a dar sentido a lo que ocurrió al inicio de su vida, partiendo de la información de la que dispongan y/o de la que conozcan sobre el contexto sociocultural en el que nació. Lo importante es poderle ayudar a dar sentido a temas tan importantes como: ¿de dónde provengo?, ¿por qué me abandonaron?, ¿no me querían?, ¿nací de tu barriga o de dónde?, ¿por qué soy distinto a vosotros?, ¿por qué me adoptasteis? Y debería ser un «dar sentido» de una forma que construya, no que destruya. Es decir, integrando esos orígenes en positivo, ayudando a generar una historia en la que el protagonista pueda verse como alguien valioso y querido.

El abandono es un tema relevante en las narrativas de identidad de los hijos adoptivos. No hay que olvidar que para poder ser adoptado previamente existió un abandono. Y este puede ser literal («me dejaron en la puerta

Los hijos adoptivos tienen historias complejas, con elementos que deben integrarse. Como la vida de un hijo adoptivo no empieza el día en que llega a su familia adoptiva, tampoco debe hacerlo su historia.

de una casa y se fueron») o psicológico. En este último caso, se hace referencia a abandonos en sentido puramente psicológico cuando existe una separación no buscada (como una muerte natural), pero igualmente dolorosa, y en la que una de las personas implicadas depende de la que se marcha. El niño cuya madre ha fallecido se queda sin un pilar, se siente abandonado, aunque esta nunca hubiera deseado dejar a su hijo. No obstante, en este caso, aunque resulta muy doloroso, es más sencillo ayudar al niño a dar sentido al abandono porque fue una separación no buscada, la única culpable fue la enfermedad que se la llevó.

En el caso más habitual del niño que es abandonado en la puerta de una institución, o en una calle concurrida, o cuya custodia se le retiró a sus padres porque le trataban de manera negligente, es más complicado poder llegar a establecer una integración de los orígenes en positivo, pero debe lograrse, de modo que el niño pueda llegar a construirse como alguien que es importante y que merece ser querido.

Se ha comentado que todos los capítulos de la historia de una vida deben mantener la coherencia con la narrativa completa. Es decir, puede haber capítulos dispares, pero debe poderse establecer una conexión entre ellos, de modo que la persona pueda sentirse coherente e integrada. Volviendo al caso de Iván, sus padres tendrían que poder ayudarle a integrar su identidad como ruso, con todas las experiencias vividas y las características de la cultura rusa, con su identidad como hijo adoptivo en el seno de su nueva familia y su país de adopción. Si esto no se logra, la narrativa de identidad de Iván estará fragmentada y este, en distintos momentos de su vida, manifestará malestar psicológico con bastante facilidad.

A continuación se explicará con detalle cómo realizar este proceso de revelación e integración de los orígenes de un niño adoptado.

Hablar sobre el pasado. La historia de los padres y la del hijo

Tal y como se ha visto, ser padre adoptivo implica desarrollar unas funciones concretas y específicas que hay que afrontar; una de las que genera más interrogantes a las familias es cómo hablar de la adopción. En el trabajo con los futuros padres adoptivos se observa que cuando se reflexiona en torno a la necesidad de hablar sobre el pasado, piensan automáticamente en el hijo, en su historia previa, y entienden que en algún momento deben hablar de ello, pero la identidad de un hijo no se construye solo a partir de su historia y la de su familia biológica, sino que la adoptiva también tiene unas vivencias previas, y el niño necesita integrar pasado y presente para construir su propia identidad.

Al niño se le debe ofrecer la información necesaria para que entienda todos los acontecimientos que han ocurrido en su vida y ayudarle a rellenar y continuar esas páginas blancas del libro.

Consejos para hablar de la adopción con los hijos

- Crear un clima de confianza y de diálogo que permita al niño preguntar cualquier cosa y resolver sus dudas. Para que esto suceda, el niño debe percibir en su hogar que este tema es bien aceptado y que sus padres no tienen ningún inconveniente en dedicarle tiempo para hablar de ello, tantas veces como sea necesario.
- Tener la iniciativa. Hablar de según qué temas con los hijos no es fácil, pero no por ello se deben evitar o restarles importancia. En la vida del niño han ocurrido cosas muy importantes, algunas buenas y positivas

y otras no, pero todas ellas forman parte de su realidad. Cuando preguntamos a los padres adoptivos cómo les gustaría tratar este tema con sus hijos, muchos de ellos nos dicen que con la máxima naturalidad y normalidad. Pero hay que pensar que, desde la óptica del niño, ser adoptado no es lo natural. Entender la palabra *adopción* es un proceso complejo que requiere unos conocimientos sobre determinados temas que los niños, a según qué edades, todavía no tienen. Por ese motivo es responsabilidad de la familia adoptiva que este tema forme parte de la historia familiar desde un inicio, y que la iniciativa parta de ellos mismos, puesto que fue el camino para formar la familia que tanto deseaban. Además, es necesario entender que un tema tan importante debe ser gestionado por los padres, por los adultos, y que no se debe delegar al hijo la responsabilidad de adivinar o intuir que en su vida han pasado muchas cosas y que debe preguntar a sus padres cuáles han sido.

- Asegurarse de que la información que el niño reciba esté dosificada para que la pueda asimilar según su nivel de maduración y su momento vital. Si bien es cierto que hay que hablar de todo, también lo es que no es necesario proporcionar toda la información de una vez, sino que se debe tener presente la edad del niño y su nivel madurativo, y a partir de ahí ir construyendo su historia para que la pueda entender e integrar. En cada etapa hay que adaptar la información para que la pueda comprender.
- Respetar los procesos internos del niño respecto a este tema, entendiendo que no es

Al hablar de la adopción con los hijos, es preciso asegurarse de que la información que el niño reciba esté dosificada para que la pueda asimilar según su nivel de maduración y su momento vital.

necesario hablar constantemente de ello, y que el niño puede pasar largos periodos sin comentar nada al respeto. Es importante no agobiarle en exceso y tan solo dejarle abierta la puerta del diálogo y hacerle saber que si hay alguna cosa que le preocupe la puede compartir con los padres.

- Tener presente la necesidad de privacidad del niño. Implica tratar la información sobre los orígenes con precaución y respeto. En algunas ocasiones, las familias, orgullosas de su hijo, hablan con naturalidad de su condición de adoptado con personas desconocidas, y si bien esta es una forma de tratar el tema con normalidad, hay etapas o periodos en los que los niños no tienen ganas de oír hablar de ello. Necesitan que forme parte de la intimidad familiar, e incluso hay niños que expresan su enfado a sus padres ante esta situación.
- Tomar conciencia de los aspectos que son realmente importantes al hablar de la adopción y de los que son circunstanciales.
- Al hablar de la adopción es imprescindible tener presente a todas las partes implicadas. Esto quiere decir que hay que hablar de los padres biológicos y del hijo, pero también de los padres adoptivos, ya que, afortunadamente, la identidad del niño no se construye tan solo a partir del periodo previo a la adopción, sino que él ha nacido en una familia biológica, pero vive y es hijo de una familia adoptiva, y su identidad se construye a partir de la integración de todos los ejes.
- Destacar la importancia de pedir asesoramiento profesional siempre que sea necesario. En ocasiones hay familias que no saben cómo seguir tratando el tema con el hijo o a quienes les preocupa la necesidad excesiva de los hijos de hablar de su historia previa. En caso de que los padres no sepan cómo actuar o tengan dudas, es preferible dejarse orientar por profesionales que aportarán toda su experiencia.

¿De qué o de quién se debe hablar?

Como ya se ha mencionado, en cualquier historia de adopción hay muchos personajes implicados. Todos ellos tienen historias distintas, forman parte de sociedades diferentes, pero con un lugar de encuentro y, a partir de ese punto, se empieza a construir la identidad de la familia adoptiva.

El libro empieza en la sociedad de origen del menor. Allí ha nacido, ha sido desamparado y ha estado atendido bajo la tutela de la Administración pública hasta su adopción. Aunque parezca evidente, es importante tener presente este aspecto, porque en muchas ocasiones la respuesta a sus preguntas pasa por entender cuál es la situación de la sociedad de la que proviene: la desestructuración familiar, el hambre, la falta de recursos, etcétera son en muchas ocasiones la causa del desamparo, y para un niño esta situación es difícil de entender.

> Una familia explicó a su hija adoptada que su madre biológica estaba muy enferma y que a pesar de que la quería mucho no pudo hacerse cargo de ella y la dio en adopción para que la pudieran cuidar y pudiera vivir en una familia. Mientras la niña era pequeña tuvo suficiente con esa explicación, pero a los nueve años preguntó a sus padres que por qué teniendo esa información no habían llevado a su madre al médico. En ese momento, los padres tuvieron que empezar a tratar con la hija la realidad social del país del que provenía y de la dificultad de algunas familias de ese lugar para poder acceder a la sanidad y a las medicinas.

En esa sociedad de origen existe una familia biológica que ha engendrado al que ahora es el hijo adoptivo, pero las vivencias y experiencias de las familias, y las causas del abandono pueden ser totalmente diferentes. En algunos casos, las personas que lo han engendrado nunca han ejercido de padres, ya que el menor fue abandonado a los pocos días de nacer, o no se hicieron cargo de él. En otros casos, los progenitores han ejercido su papel y funciones parentales tan bien como pudieron durante meses e incluso años, a veces con muy pocos recursos, pero con afecto.

Después, el niño residió en un centro o familia de acogida, donde, como se ha visto en capítulos anteriores, ha vivido unas experiencias previas que pueden condicionar de forma significativa su desarrollo futuro. En ocasiones, las familias obvian esta parte de la vida del menor, y si bien es cierto que al principio hay mucha información, lo que le puede confundir, es fundamental ese periodo y debe ser tratado con especial interés. Algunos niños recuerdan a algún compañero o, cuando son más mayores, incluso a alguna cuidadora, y es preciso poder integrar esa información en su vida de forma positiva.

Un niño ruso había tenido experiencias previas muy negativas con la familia biológica. Sin embargo, en el orfanato, una de las cuidadoras estuvo muy pendiente de él y llegó a crear un vínculo con él. Para el niño era muy importante saber que había sido cuidado por alguien. En el orfanato era el preferido de esa cuidadora, por tanto, este es un dato que no se puede obviar porque seguramente le ayudará a integrar la información de manera positiva.

La familia adoptiva también tiene una historia, y en el momento en que el niño llega a la familia también debe conocerla. En ocasiones, los padres adoptivos restan importancia a algunos aspectos que son fundamentales para que su hijo entienda su adopción. Hay que poder hablar de cuáles fueron los motivos que llevaron a la familia a tomar la decisión de adoptar, la ilusión que pusieron en ello, el tiempo que esperaron para hacer realidad su deseo.

De cada etapa, de cada realidad, hay más o menos información, y es fundamental poder reflexionar en torno a los sentimientos que esta despierta. Algunas familias tienen dificultades para hablar con los hijos, y lo justifican diciendo que todavía es pequeño para entenderlo, pero en realidad es porque aún hay algunos aspectos que ellos no han resuelto. El miedo a la reacción del niño, el deseo de ser exclusivo o el dolor que les puede causar no haberlo podido llevar en el vientre son a veces algunos de los motivos por los que las familias retrasan ese proceso de revelación de los orígenes.

A continuación, se presenta un cuadro en el que se plantean algunas preguntas como punto de partida para reflexionar, así como para dar respuestas para posteriormente empezar a tratar ese tema con los hijos.

Estas preguntas hacen referencia a información objetiva facilitada por el centro de acogida o procedente de la sentencia de adopción, pero también a los sentimientos que genera en los padres tener esta información y el hecho adoptivo.

¿Cómo se vive la imposibilidad de tener hijos biológicos?, ¿qué se piensa en realidad de la familia biológica que ha maltratado durante dos años al que ahora es el hijo adoptivo?, ¿cuáles fueron los motivos para adoptar? Todas estas emociones deben gestionarse de manera adecuada antes de empezar a tratar este tema, ya que de lo contrario se transmitirá dolor y sentimientos negativos al hijo adoptivo.

Tal vez los padres se pregunten: ¿cómo podemos organizar la información?, ¿por dónde empezamos?, ¿qué datos le podemos dar?, ¿a qué edad?, ¿qué le debemos contar?, ¿es conveniente o necesario explicarle toda la verdad?

PROGENITORES/ FAMILIA BIOLÓGICA	¿Qué se sabe de los progenitores? ¿Cuáles fueron las causas del abandono? ¿Qué sentimientos genera la familia biológica? ¿Qué es lo que más preocupa explicar al hijo? ¿Por qué? ¿Tenéis conocimiento de hermanos o familia extensa? ¿Qué pensáis?
FAMILIA ADOPTIVA	¿Cuáles fueron los motivos para adoptar? ¿Hay aspectos que todavía causan dolor con respecto a la filiación? ¿Cómo fue el tiempo de espera? ¿Qué significa ser una familia adoptiva?
INSTITUCIONALIZACIÓN	¿Cómo vivió el niño en el centro? ¿Qué se piensa sobre este tema? ¿Qué dificultades le ha generado? ¿Pudo vincularse con algún cuidador? ¿Con qué otros niños vivía?
NIÑO	¿Cuántas cosas positivas se pueden decir sobre él? ¿Qué significa ser adoptado?

Lo que deben saber los niños adoptados sobre su origen. Cómo y cuándo hablar de ello

Para poder tratar el tema de la adopción con naturalidad es importante empezar poco después de que el niño haya llegado al hogar. En general, los niños adoptados en nuestro país son menores de tres años, por lo que en pocas semanas o meses no serán capaces de recordar sus experiencias previas. Este hecho ha permitido que durante años muchas familias adoptivas ocultaran a sus hijos la realidad de la adopción, pero, por fortuna, en el siglo XXI, la aceptación social de la adopción ha llevado a las familias a entender que el niño tiene derecho a tener información sobre su condición de adoptado y sobre su origen, y que deben cumplir con su responsabilidad de transmitir esta realidad. Pero es necesario considerar cómo les ofrecemos la información y en qué momento, ya que no siempre es fácil explicar la historia previa a la adopción, puesto que implica un abandono.

Antes de los tres años

A esta edad, el niño todavía no tiene capacidad suficiente para entender la adopción; sin embargo, sí que es consciente de que se han producido cambios importantes en su vida, en sus hábitos o en la manera de tratarle. Es por este motivo que desde el primer día en que el niño llega a la familia se puede empezar a hablar de ello. Mirar las fotografías del viaje, el vídeo del primer encuentro o jugar con algún objeto que se haya traído de su país de origen puede ser una forma de iniciar este proceso. Estas acciones tan simples le pueden ayudar a integrar que hay un antes y un después. Además, durante este periodo, los padres adoptivos deben empezar a introducir palabras como *papá*, *mamá* o *adopción*: «Mira la foto del día que te adoptamos»; «Aquí están papá y mamá contigo cuando todavía vivías en Colombia».

A esta edad, los niños no preguntan demasiado y parecen no dar importancia al hecho de ser adoptados. Hablan de la adopción con total normalidad y casi de forma anecdótica. Sergio, de tres años y medio,

A partir de los tres o cuatro años, las familias adoptivas no tienen dificultades en hablar con el hijo sobre su país de origen.

normalmente se presentaba diciendo: «Me llamo Sergio y soy adoptado».

A partir de los tres años

Durante este periodo, las familias adoptivas no tienen dificultades en hablar con el hijo sobre su país de origen. «Te fuimos a buscar a China», «Naciste en Rusia» o «Antes vivías en Etiopía» son expresiones frecuentes al oír hablar a los padres adoptivos con sus hijos, ¿y qué hay de malo en ello? Pues absolutamente nada, pero hay que tener muy en cuenta que ninguna de esas respuestas explica realmente qué significa ser adoptado.

¿Cómo le explicamos a un niño qué quiere decir ser adoptado?

Se parte de la idea de que la adopción se inicia en el momento en que una familia tiene la necesidad de tener un hijo, y así se le ha de transmitir: «Deseábamos ser padres». Ese debe ser el punto de partida de cualquier explicación. Hay que hablar con el niño de la

importancia que tenía para los padres tener un hijo, y quizás hay que hablar también de la imposibilidad de tenerlo en la barriga: «Mamá y papá queríamos tener un hijo, lo deseábamos muchísimo y no podíamos tenerlo en la barriga, por este motivo decidimos adoptar y tuvimos la suerte de poder ser tus padres».

A continuación, es necesario entrar en la parte de la familia biológica, ya que ser adoptado no consiste solo en haber nacido en otro país, ni en tener un color de piel diferente, sino que hay que hablar de que al igual que los demás niños, él también estuvo en la barriga de alguien, y que ese alguien no pudo ejercer de mamá. Para explicar esto a un niño de tres o cuatro años, se aconseja preguntar al niño si sabe qué significa o qué quiere decir ser mamá. Los niños suelen responder: «Que me lleves al colegio, que me des de comer, que me cuides, que me quieras, que me cuides cuando estoy enfermo…», y esto nos puede servir para explicar que la persona que lo tuvo en la barriga no podía hacer alguna o ninguna de esas cosas.

Hay que tener presente que a partir de los tres o cuatro años, los niños empiezan a tener interés en preguntar cosas acerca de la barriga de mamá. Su curiosidad por los bebés es más fuerte, y en ese momento pueden hacer afirmaciones o preguntas del tipo: «Cuando yo estuve en tu barriga, ¿me movía mucho?» o «Cuando salí de tu barriga…». Por este motivo es importante anticiparse a la situación, para que cuando se haga estas preguntas se le pueda responder: «¿Recuerdas que te contamos que habías estado en la barriga de otra señora?, aunque imagino que debías de estar muy calentito, o seguro que siempre dabas patadidas porque cuando duermes te mueves mucho».

Se debe entender que el niño tiene curiosidad por saber cómo era, y aunque no se disponga de esa información, se le puede ofrecer alguna respuesta como la anterior, que le permita imaginarse esa situación.

Hablar sobre la madre biológica es uno de los pasos más difíciles, porque la mayoría de las familias creen que sus hijos son demasiado pequeños para hablar de este tema, pero es necesario si realmente se desea que el hijo entienda la palabra adopción.

Si además existe una diferencia étnica, también se debe hablar de ello de forma clara y natural. Un niño no es negro por haber nacido en Mali o Senegal, es negro porque la persona que lo tuvo en su barriga también era negra como él. A pesar de la obviedad, muchos niños no entienden por qué son tan diferentes a su familia adoptiva y solo con esta explicación se está ayudando al niño a entender esta realidad y a construir su identidad de una forma sana y adecuada.

A partir de los siete años

A esta edad, la adopción adquiere una dimensión distinta, y es en este momento cuando muchos niños integran realmente su condición de adoptado. Si durante las etapas previas se ha ofrecido la información necesaria y se ha hablado de los aspectos importantes, seguramente el niño habrá podido construir una parte destacada de su historia y tendrá la confianza suficiente para poder preguntar a medida que le vayan surgiendo dudas. Si no es así, es responsabilidad de los padres asegurar-

se de que va entendiendo lo sucedido y lo va integrando de una manera positiva.

También a partir de esta edad se empieza a hablar de la madre biológica en estos términos. Hacerlo antes puede generar confusión al niño, que no entiende por qué tiene más de una madre y todavía no comprende qué quiere decir *biológica* y *adoptiva*. Por este motivo es más aconsejable hablar de la persona o señora que lo tuvo en la barriga, pero siempre con mucho respeto.

A partir de los diez, once años

A esta edad, los niños ya están preparados para hablar de temas más complejos y necesitan tener más explicaciones sobre los hechos sucedidos.

En ese periodo, algunos niños empiezan a preguntar: «¿Por qué me dieron en adopción?».

Seguramente ya se habrá respondido antes a esta pregunta, pero esta vez no servirá el mismo argumento. Las causas por las que se da a los hijos en adopción pueden ser muy distintas: fallecimiento o enfermedad física de los padres, entornos desestructurados, falta de recursos económicos, alcoholismo, etcétera, pero entenderlas requiere todo un proceso madurativo.

En una ocasión, una familia adoptiva sabía que a la madre biológica le habían retirado la custodia del hijo por una atención negligente a causa del alcoholismo. Por este motivo, desde que el niño era pequeño, le habían explicado que su madre no podía hacerse cargo de él porque estaba enferma y, en ocasiones, se encontraba tan mal que no podía cuidarlo. Cuando el niño cumplió los diez años preguntó a sus padres cuál era la enfermedad que tenía la madre. En

A partir de los diez u once años, los niños ya están preparados para hablar de temas más complejos y necesitan tener más explicaciones sobre los hechos sucedidos.

ese momento, la familia pensó que era un buen momento para empezar a hablar del alcoholismo y de todo lo que supone, y el niño pudo entender de forma progresiva todo lo que había sucedido.

Esta explicación requiere también una comprensión sobre las diferencias sociales en el mundo y cómo estas desigualdades generan situaciones extremas.

La adolescencia

Este periodo es muy importante en la construcción de la identidad, y los hijos adoptivos acostumbran a hacerse muchas preguntas sobre su origen. Por este motivo, en el capítulo dedicado a la edad adulta se desarrollará más extensamente este punto.

Cuando la historia la cuenta el niño

Algunos niños llegan a sus familias adoptivas con cinco o seis años. Muchos de ellos tienen recuerdos de la vida en la institución y pueden nombrar a los compañeros, a alguna cuidadora, e incluso pueden recordar a su familia biológica. Cuando tienen cierto vocabulario, empiezan a compartir con sus padres estos recuerdos, pero en ocasiones estas situaciones cogen desprevenidos a los padres, que no esperaban empezar a tratar este tema tan pronto. En estos casos, el proceso se acelera, puesto que el hijo es el que marca el ritmo y el que decide cuándo empezar a integrar su historia en la nueva familia. Los padres deben mostrarse atentos y respetuosos, y por dolorosa que sea la historia, deben escuchar e intentar empatizar con los sentimientos del hijo. Deben entender que el niño está realizando un proceso de duelo, y los adultos deben acompañarlo y ser pacientes.

En otras ocasiones, el niño decide no hablar de su pasado y la familia sobreentiende que como ya sabe que es adoptado no es necesario hablar del tema. Sin embargo, el niño necesita que le expliquen toda su historia al igual que lo precisa quien llega a la familia adoptiva con un año. Hay que ayudarle a ordenar y gestionar correctamente sus recuerdos, sus vivencias y sus emociones. Debe entender el motivo de esta situación.

¿Y si no se dispone de información?

Una familia explicaba que a su hija la habían encontrado en la cuneta de una carretera en China. La familia estaba muy preocupada sobre cómo transmitir esta información a la niña, ya que para ellos era un hecho terrible, pero hablar de la adopción implica ponerse en el lugar de la familia biológica. Cualquier familia que haya adoptado en China debe saber que en este país está penado abandonar a los hijos. Dejarla de forma clandestina en una carretera es pensar que deseaban que alguien la encontrara. No es necesario hablar de «cu-

neta», ya que puede parecer un término despectivo, pero se puede explicar que la dejaron a un ladito de la carretera, en un sitio donde pasaban muchas personas en coche y caminando, para que alguien la viera y la llevara a un centro de acogida y la pudieran atender.

Con este ejemplo se desea constatar que siempre existe alguna información y también que siempre hay algo que contar. A partir de cada historia se debe hacer el ejercicio de ponerse en la situación de la familia biológica y poder conectar con sus necesidades y sus carencias. Solo así se entiende que detrás de cada adopción hay una familia biológica que ha sufrido, y que en muchas ocasiones ha visto en la adopción la única salida para poder ofrecer un futuro mejor a su hijo.

Esta situación se tiene que transmitir al hijo, ya que el niño adoptado necesita entender que él no es el culpable de esta situación y que tuvo un valor para alguien.

A modo de conclusión, hay que destacar que no hay ninguna explicación más fácil que otra, sino que todas ellas son difíciles de transmitir porque generan dolor. No existe ningún niño que no sienta dolor después de saber que sus padres han muerto o que lo han abandonado. Los padres adoptivos no pueden evitarles ese sufrimiento, pero sí acompañar al niño y ayudarle a superarlo. En definitiva, los padres adoptivos pueden no tener todas las respuestas, pero deben poder transmitir comodidad, tranquilidad y confianza ante las preguntas. Además, es importante que puedan contribuir a construir una narrativa de identidad sobre la adopción mediante la cual el niño pueda integrar una imagen positiva de sus orígenes.

«pues soy quien soy, precisamente, por el hecho de ser adoptada: por los padres que he tenido y por los que no he tenido»

Los hijos adoptivos también crecen

Muchos de los aspectos que ya se han explicado son también aplicables al adolescente adoptado. Ahora es el momento de detenerse en las particularidades de las vivencias del adolescente adoptado para, posteriormente, centrarse en las del adulto adoptado.

El adolescente adoptado

La adolescencia es la etapa de transición entre la infancia y el inicio de la edad adulta. El principio y el final de la adolescencia son variables, dependiendo de cada persona y del momento socio-cultural en el que viva. Suele contemplarse el periodo comprendido entre los 10-12 años y los 19-20. Su inicio coincide con la pubertad y suele producirse antes en la mujer que en el varón. La adolescencia es la etapa del desarrollo humano en la que se tienen que afrontar más cambios. Por este motivo se ha descrito como la etapa que supone más crisis, entendida como un momento de cambio, de transición, con sus pérdidas y ganancias, con las oportunidades y las complejidades que se plantean al mirar más allá, al no quedarse con lo evidente y empezar a pensar en las cosas, incluidos los elementos de abstracción, las suposiciones y las hipótesis.

La adolescencia es la etapa de la vida en la que la persona se plantea con más intensidad quién es, cuestión que incluye una revisión de su idea sobre quién era en el pasado y también sobre quién quiere llegar a ser. Es decir, la pregunta actual sobre la identidad incluye la dimensión temporal. Pero también la social,

puesto que esta cuestión engloba en su definición la referencia a los demás: «¿Quién soy en relación con los demás, y también en relación a ellos?». No existe otra forma de conocer, excepto por comparación. La respuesta a la pregunta «¿quién soy» no se encuentra mirando hacia dentro, sino hacia fuera, en el espacio entre las personas, no dentro de ellas.

Pero, ¿qué sucede cuando el adolescente adoptado mira a su alrededor? Cuando esto ocurre, la mayor parte de sus amigos y amigas son hijos biológicos de sus padres, comparten rasgos físicos con ellos y pueden conocer casi todos los detalles que quieran sobre sus orígenes y los de su familia. Es entonces cuando el adolescente toma plena conciencia de que no es un miembro «normal» de la sociedad. Y adviértase que se utiliza a propósito la palabra *normal*, a pesar de que ser conscientes de que puede considerarse políticamente incorrecta. En este sentido, el adolescente no suele pensar ni sentir atendiendo a lo que es políticamente correcto, y su vivencia psicológica es de falta de normalidad: «Soy el diferente, ya que lo normal es que te críe quien te parió, que te parezcas a tus padres, que sepas quiénes son tus hermanos y que por la calle no piensen que eres un inmigrante».

Lo que más desean los adolescentes es parecerse a sus amigos, ser como ellos. En esta etapa, algunos buscan su identidad diferenciándose, en parte, de los estándares de su familia, por lo que la diferencia racial o física con ellos puede no vivirse en este momento como un problema, pero sí cuando la comparación se produce con los amigos. Y más cuando estos cumplen los estándares de

La adolescencia es la etapa de la vida en la que la persona se plantea con más intensidad quién es, lo cual implica una revisión de su idea sobre quién era en el pasado y también sobre quién quiere llegar a ser.

belleza que imperan en el contexto en el que viven, y el adoptado no. Podríamos relatar diversas conversaciones sobre los estándares de belleza con adoptados adolescentes. Tomaremos una como ejemplo:

Lara, una adolescente de quince años y de origen etíope, le dice a su terapeuta: «Sí, tú me ves muy guapa, pero yo quiero ser como mis amigas. No sabes lo que es que te pongas el maquillaje de tus amigas y te quede mal, que se alisen el pelo cada día y que yo lo tenga así. Ellas son guapas, yo no. Si fuera guapa, si me pareciera más a ellas, los niños me harían más caso.

Y cuando me pongo unos *leggings* y un poco de tacón sé que mi madre está pensando: "Pareces un putón, como tu madre. Ella nunca lo diría pero en el fondo yo sé cómo piensa".»

En este fragmento se ve cómo se mezcla la necesidad de parecerse a los iguales con las preguntas, suposiciones o conocimientos que ya se tienen sobre los orígenes y que a veces son dolorosos. En este sentido, para que los aspectos que el adoptado vive como pérdida se puedan afrontar con éxito es básico que siempre haya existido una excelente comunicación entre padres e hijos, sobre todo en lo referente al hecho adoptivo. No hay que establecer esta comunicación cuando se llega a la adolescencia, debe haberse producido desde el inicio de la relación con el hijo adoptivo. Como se ha visto en capítulos anteriores, los padres tienen que haber ayudado a sus hijos a integrar en positivo la información de la que se dispone sobre los orígenes, por dolorosa que esta sea; tienen que haber podido hablar con ellos sobre este tema y comunicarse sobre las emociones que surgen en el hijo. Si este proceso se ha realizado adecuadamente durante la infancia, las cosas serán más fáciles en la adolescencia, cuando el chico o la chica hagan frente, con la radicalidad que suelen hacerlo los adolescentes, a los diversos temas dolorosos sobre sus orígenes y sobre el hecho de ser adoptado.

El adolescente tiene que poder hablar con sus padres sobre las emociones que siente cuando piensa en su pasado, sobre las fantasías que desarrolla sobre su familia biológica, sobre los futuros planes de búsqueda de esta, más o menos realistas. En definitiva, la principal y decisiva tarea del adolescente adoptado será integrar en una identidad coherente y satisfactoria todo lo que tenga que ver con su adopción.

Las diferencias físicas: ¿problema o identidad?

Las diferencias físicas con los padres adoptivos son algo lógico, puesto que el adoptado nace del vientre de unos progenitores que por lo general nada tienen que ver con sus padres. Esas diferencias pueden ser más o menos evidentes en función del origen étnico del cual proceda tanto la persona adoptada como los padres. Sea como fuere, se convierten en el recuerdo constante, para uno mismo y para los demás, de que no se nació en el seno de esa familia. Esta es una característica que en algunos casos se desearía cambiar, lo cual resulta imposible, pero que tampoco se puede ocultar o evitar frente a los demás.

«Sin malicia alguna, la gente a menudo hacía comentarios sobre lo diferentes que éramos mi hermano y yo (mi madre y mis hermanos son rubios y yo soy muy morena. Tengo suerte de que mi padre también lo sea y, gracias a eso, siempre me salía de la situación diciendo que yo me parecía a él). Recuerdo con claridad el día que, mientras jugaba en el patio del colegio con mis amigas, Ana, que se había enfadado conmigo, me chilló que yo no era la hija de mis padres delante de todo el mundo. Solo sentía que quería que la tierra me tragara, desaparecer. Me ha ido pasando en infinidad de ocasiones («tu hermano y tú no sois hermanos de verdad» o «esta es la niña adoptada, ¿no?», mientras se referían a mí).»

Así pues, la diferencia puede vivirse con incomodidad, malestar y tristeza, puesto que a nadie le gusta ser diferente en relación a los miembros de su familia. Pero además, como se ha visto, en la adolescencia adquiere especial relevancia el hecho de ser diferente al grupo de iguales (amistades y compañeros) porque eso lleva consigo una connotación de peso relacionada con el «no pertenecer», y el adolescente, en búsqueda permanente de su identidad, necesita sentir que pertenece, para así poder tener más elementos para definir su identidad.

La necesidad de pertenecer a un grupo está presente en todos los seres humanos, puesto que somos seres sociales y, como tales, necesitamos un espejo en el cual reflejarnos. He ahí la identidad. Y aunque el adolescente por lo general concede más importancia a las similitudes con sus amigos, porque las que se producen con su familia ya las da por supuestas y seguramente se encuentra más en un momento de diferenciarse para descubrir su unicidad, el adolescente adoptado necesita también encontrar y potenciar la identificación con su familia, para sentir que pertenece a ella. Busca rasgos de similitud con su padre, con su madre, con su abuelo, con su abuela, etcétera, tanto sobre características físicas como psicológicas: si son altos o bajos, si son delgados o gordos, rubios o morenos, blancos, negros o mulatos, si tienen los ojos redondos o rasgados, el pelo liso, ondulado o rizado, pero también si tienen los ojos de su padre, la nariz de su madre, el pelo de su abuela u otras características que le vinculan a su familia. Y, en el caso de los adoptados, esas referencias no solo no están en la familia, sino que se desconocen. Así, las personas adoptadas han de realizar un proceso más en el camino de construcción de la propia identidad, el proceso de duelo que lleva a la aceptación de la diferencia como característica personal. He ahí la clave: la aceptación. Aceptar que se es diferente, y que ello no implica ser menos hijo de sus padres, pero ese proceso conlleva dolor. Dolor por no ser igual o parecido y dolor por desear serlo y no poder.

En este proceso, los padres tienen mucho que ver, pues con su ayuda y paciencia, la diferencia física se convertirá en algo peculiar, único de su hijo, que lo conforma y lo integra como persona, en lugar de algo negativo o peyorativo. Si esto se logra, llegada la etapa adulta uno se dará cuenta de que los rasgos físicos han quedado en un segundo plano, y son simplemente una parte más de la totalidad que les conforma como personas únicas e irrepetibles.

> «Pues soy quien soy, precisamente, por la circunstancia de ser adoptada: por los padres que he tenido y por los que no he tenido.»

El adulto adoptado

A continuación nos adentramos en la experiencia del adulto adoptado para poder reflexionar sobre cómo se ve el mundo desde ese punto de vista, a menudo olvidado.

En la etapa adulta, las personas se acaban de definir, de construir como seres humanos, con sus virtudes y sus puntos débiles. Es decir, se va matizando la identidad, el «quién somos», que seguirá en construcción hasta el último de nuestros días. Obviamente, en los adoptados implicará también quién son como hijos adoptados, pero también como amigos, parejas, padres e incluso abuelos.

La identidad y los referentes

La identidad es la respuesta a las grandes preguntas filosóficas de la historia: ¿quién soy?, ¿de dónde vengo?, ¿hacia dónde voy?, ¿cuál es el motivo de mi existencia?, etcétera. Los adultos adoptados, igual que cualquier otro ser humano, se plantean cómo son y se dan cuenta de las similitudes y diferencias que tienen con sus padres: «Soy igual de tozuda que mi padre, o igual de sensible que mi madre», por ejemplo. Se plantean, incluso, la voluntad de ser diferentes a su madre o padre en algunos aspectos. Esto se lleva a cabo gracias a que los padres son los referentes, unos modelos de comportamiento, pues les han enseñado a confiar, a comunicarse, a relacionarse e incluso a querer. Les han transmitido un modelo de ser madre o padre, de ser pareja, de ser amigo. Les han comunicado unos valores, que en la adolescencia han cuestionado y que llegada la adultez ven

Las relaciones con los padres no pueden ser las mismas en la infancia que en la adolescencia y tampoco cuando se es adulto, instante en el que se empieza a plantear un proyecto de vida.

con otros ojos y comprenden gracias a la madurez. Ellos les han ayudado a desarrollar su identidad, puesto que la identidad es algo que se construye gracias a la relación con los demás. Evidentemente, las relaciones con los referentes son las más importantes, pero también lo son las que se establecen con los iguales, es decir, con los amigos y las parejas. Asimismo, las relaciones con ellos contribuyen a que las personas sean como son.

El proceso relacional que se establece desde la infancia con los padres es cambiante con la edad y con las experiencias que se van viviendo. Es decir, no se es el mismo ahora que cuando se era pequeño o cuando se fue adolescente. Por tanto, tampoco lo serán las relaciones con los demás.

Se han ido planteando las cuestiones derivadas de la característica de ser adoptado y son los padres los que deben haber ayudado con paciencia y cariño a resolver sus dudas, a construir su historia, una historia de identidad que tiene unos pilares a partir de los cuales se han podido construir como personas. Las relaciones con los padres, como se ha comentado, no pueden ser las mismas cuando se es niño, momento en el que se depende en gran parte de ellos, a cuando se es adolescente, cuando se busca la autonomía e independencia, y obviamente tampoco cuando se es adulto, momento en el que se empieza a plantear un proyecto de vida. La seguridad y confianza que los padres adoptivos les hayan podido transmitir deben ayudar a que se definan en relación con ellos mismos y también con los demás.

«La relación con mi madre continúa siendo, curiosamente, la misma que cuando yo era pequeña. O sea, yo con mi madre no he evolucionado. No le hablo de adulta a adulta, sino como si fuera aún la niña pequeña, obediente, que le dice que sí a todo. Nunca le expongo mis cosas, o lo que siento, para no disgustarla, para no hacer que se enfade...»

He aquí un ejemplo de cómo una relación madre-hija no ayuda a la construcción de la propia identidad. La causa la podemos encontrar en las palabras de esta mujer: no herir, no hacer daño a su madre mostrándose tal y como es. Esto es lo que denominamos lealtad familiar, es decir, miedo a ser quien uno es o a mostrar lo que se siente por si esto no agrada a los padres, esos seres que les desearon y les fueron a buscar cuando no tenían unos padres que pudieran ejercer como tales.

Las lealtades familiares y la búsqueda de los orígenes

Las lealtades familiares, ese no querer traicionar a los padres, no querer disgustarlos, sentir que se les debe algo se ponen aquí en juego como se ve en el fragmento de una persona adoptada que no ha podido evolucionar en la relación con su madre, por miedo a herirla. Los padres deben haberse esforzado por transmitir seguridad mediante la aceptación de lo que supone ser adoptado: haber nacido de otra mujer que uno no conoce y haberse criado con unos padres que uno tenía derecho a tener. Hay que recordar que la paternidad es generalmente un acto voluntario y libre, fruto del deseo de ejercer de padres y madres. Al contrario, el hecho de ser hijo no es algo deseado, ni libre ni voluntariamente, sino una oportunidad de vivir que lleva consigo el derecho irrevocable a tener padres.

Como se ha ido viendo, el hecho de ser adoptado también supone un esfuerzo por comprender el abandono. Cuesta entender cómo alguien que les engendró pudo al mismo tiempo abandonarlos.

«Cuando le doy de mamar a mi hija y la tengo cerca y la miro, he pensado muchas veces: "¿Cómo alguien puede dar a este bebé?". Y pienso: "¿Cómo es posible que alguien pueda dar a un hijo? Lo debe pasar muy mal". Mi madre, ¿lo debía pensar, lo debía tener pensado, o lo debía pensar antes o no lo tenía pensado y le vino que lo tenía que hacer o cómo lo hizo? Eso sí que me pasa por la cabeza.»

Estas dudas son algo que ha ido apareciendo a lo largo de sus vidas. Puede que durante la adolescencia o la juventud hayan podido hacer frente a su historia, a sus orígenes y hayan podido resolver esas dudas, pero también puede que esa necesidad haya quedado pospuesta en cierta forma hasta otro momento en el que se encuentren preparados para la búsqueda.

Los padres que han aceptado esa condición de adoptado, y que por tanto se han mantenido cerca, a lo largo del desarrollo de su hijo, deben seguir en esta etapa transmitiéndole esa ayuda constante para que ahora como adulto haga frente a esas dudas sin que por ello tema herirlos. Puesto que sus padres siempre serán sus padres, estarán allí pase lo que pase, exactamente igual que se lo transmitieron cuando eran niños. Pues es importante acordarse de qué padre es aquel que está presente en la crianza y no tan solo aquel que es biológicamente apto para engendrar un hijo.

Suele ser en esta etapa en la que, buscando quiénes son, se les puede hacer más intenso el interrogante sobre los orígenes. Las inquietudes por resolver esas preguntas sin respuestas afloran con intensidad, pues el proyecto de vida que se va concretando se fundamenta en las raíces (orígenes) y en las bases (los padres). Se analizan, se plantean y se replantean tanto las hipótesis relacionadas con el origen de su

historia como la historia vivida. Valoran lo experimentado con sus padres, esos referentes personales que son y han sido claves de su ser. Todas aquellas dudas que durante la adolescencia se han ido conformando se convierten en objetivos que hay que alcanzar y pueden llevar a sugerirles si pasan a la acción y buscan de manera activa sus raíces biológicas o si, por el contrario, se convierten en una respuesta en sí. Es decir, que aceptan las incertidumbres como parte de ellos y valoran que los orígenes que tienen son aquellos que han construido con ayuda de sus referentes, como historia personal. Sea como sea, ese proceso dará lugar a una globalidad que responde a la integración del yo como persona: rellenar con sentido y cariño un hueco que quedó, una pieza del puzle que faltaba.

No obstante, tomar la decisión de buscar los orígenes biológicos no es nada fácil. A menudo, la búsqueda da lugar a una situación frustrante: la imposibilidad de conocer a los progenitores debido a la falta de datos conocidos o a la protección de estos por personas físicas, entidades o instituciones. Aquí uno se puede plantear si una persona tiene derecho o no a conocer sus orígenes, y con ello decidir si quiere o no tener un contacto con ellos, o simplemente tener un conocimiento útil sobre aspectos de su vida relevantes para el día a día y para la construcción de la propia identidad.

La integración de las diferencias con la familia adoptiva

Cuando uno es adulto y durante su adolescencia logró integrar las diferencias raciales, puede explicar a sus propios hijos cómo vivió este proceso y cómo la diferencia fue en el pasado un problema y es en el presente una parte de la identidad, que a su vez también los define ahora a ellos.

Pero, ¿qué ocurre ante la pareja? Cuando uno es adulto, esas diferencias étnicas pueden provocar cierta inseguridad, puesto que los referentes culturales de belleza siguen unos patrones que pueden no tener nada que ver con sus rasgos físicos. La adolescencia puede haber planteado un malestar intenso en relación al aspecto físico, como se ha comentado en apartados anteriores, que se deben haber podido resolver gracias al fomento de la autoestima promovido por los padres. Ahora, siendo adulto, esa diferencia ya debe estar más integrada, ya debe ser vista más como algo que le define con toda naturalidad, porque ello va a permitir que el contacto íntimo con otra persona sea posible y satisfactorio.

> La aceptación de uno mismo implica quererse tal y como uno es. Eso es lo que me permite acercarme a los demás sin miedo al rechazo.

De lo contrario, pueden aparecer dificultades para relacionarse con los iguales e incluso tender a alejarse de ellos. En este caso, la creación de una familia se pone claramente en entredicho. A menudo, y como se explicará a continuación, son las parejas las que pueden acabar de fomentar esa autoestima también vinculada a la diferencia étnica.

La relaciones de intimidad

En la edad adulta, empieza el tiempo de profundizar en las relaciones con los demás, en un intento por ganar intimidad con las amistades y con aquellas personas que se convertirán en parejas. Se trata de relaciones entre iguales, de tú a tú, a diferencia de las que tenían con sus padres, y mucho más maduras que las que tuvieron en la adolescencia.

En ese momento, se vuelve a poner en juego aquello que ya se ha explicado en capítulos anteriores respecto a los procesos

de apego. Recordando el apego, se decía que los padres debían esforzarse por transmitir esa seguridad en los niños para que tuvieran la confianza necesaria para aventurarse a explorar su entorno. En la etapa adulta, esa confianza se vuelve a poner en marcha, pero en esta ocasión para atreverse a relacionarse con los demás con naturalidad, de forma genuina y tranquila. Se encuentran, pues, con situaciones en las que se muestran ante los desconocidos tal y como son, y por ello corren el riesgo de no ser aceptados. También cabe la posibilidad de que por miedo al rechazo decidan no mostrarse tal y como son, pero seguro que esto provocará un fracaso en la relación por el malestar interior que les causaría el hecho de representar un papel. Ese sería el caso de aquellos que tienen un apego con tendencia a la inseguridad, puesto que les faltaría confianza para acercarse a los demás sin temor, sin representar ningún papel, que además resulta difícil de mantener en las relaciones íntimas.

Así pues, en las relaciones de pareja, se tiene la oportunidad de seguir construyendo el apego, pero ahora se trata del llamado apego adulto. Este, a diferencia del apego, se produce entre parejas, entre iguales. Tiene que ver, de nuevo, con la confianza, con la seguridad, con sentirse tranquilo para darse plenamente a la otra persona, a aquel individuo diferenciado y preferido, a depender a nivel emocional de él y a que este dependa también de mí. Es aquí donde vuelve a aparecer la característica de ser adoptado, pues ahora ya no son los padres los que le aceptan como hijo, aunque no haya nacido de sus entrañas, sino que es la pareja la que debe aceptarle como es, en toda su totalidad, incluido el hecho de ser adoptado.

> «Tuve dos parejas importantes con las cuales he convivido: el padre de mi hijo y una pareja anterior. Y, por ejemplo, el padre de mi hijo era una persona que constante-

mente te transmitía lo que sentía. Y de pronto me encontré con Alfredo, mi actual pareja, a quien le había costado muchos años comunicarse emocionalmente. Esto hacía que toda mi inseguridad saliera a flote, lo cual suponía una guerra constante, porque siempre he estado cuestionando, dudando, reprochando… quizás también tenga que ver con mi inseguridad mi necesidad de que el otro confirme que me quiere, que soy importante… Creo que todo viene del mismo sitio.»

La diferencia principal entre los padres y la pareja es que los primeros, ya sean biológicos o adoptivos, no se eligen, y la pareja se elige y nos elige. Para ello se necesita seguridad, confianza y aceptación mutua. En el caso de las personas adoptadas, esa seguridad y esa autoconfianza puede que resulten escasas y que tengan una mayor necesidad de asegurarse de que aquella persona que está a su lado, que le ha elegido, lo ha hecho de verdad, con todas sus consecuencias. Es por ello que, en ocasiones, se pone a prueba a esa persona, con actos y reacciones de un estado de ánimo y humor que son fruto del miedo, pero que a menudo son difíciles de entender, incluso para ellos mismos. Esto puede producirse de forma inconsciente, aunque a veces en ocasiones puedan llegar a ser conscientes de ello, pero sin encontrar el motivo por el cual se comportó de esa manera («¿por qué me siento así?», «¿por qué le hago esto?»). Pero es peor el miedo que sienten a volver a ser abandonados que la situación incómoda que puedan provocar con su pareja. Esta es la huella del abandono. Es decir, cuando uno fue abandonado por sus propios padres, lo que costó de entender o puede que aún cueste, puesto que son los seres que le dieron la vida, ¿cómo no plantearse que le puedan volver a abandonar?

¿Quién? Las amistades y las parejas, principalmente.

Muchas son las personas que incluso ya casadas, o con años de relación, al volver la vista atrás y explicar, quizás a los hijos, la historia de su relación dicen: «Se lo hice pasar mal al principio, pero él/ella aguantó carros y carretas» o «Ahora las cosas son muy distintas, ahora no le agobio tanto». Se trata de la manifestación clara de cómo el apego adulto ha ido, poco a poco, reconstruyéndose en la relación de pareja hacia el polo de la seguridad, porque con la evidencia de la experiencia diaria con esa persona que no le falla, permite que uno se vaya reafirmando no solo en quién es, sino también en quién es con esa pareja.

Este tipo de reacciones no son únicas de las personas adoptadas, porque responden a la inseguridad en uno mismo, y por ende, a la que tiene lugar en las relaciones de intimidad. Y la inseguridad no es algo exclusivo de las personas adoptadas, pero sí es verdad que estas parten de una desventaja. Además, hay que tener en cuenta que una persona adoptada puede haber fomentado la seguridad en uno mismo si la ha trabajado a lo largo de su vida con la ayuda de sus padres, exactamente igual que ocurriría con aquellas personas que no son adoptadas. Es por ello que hemos insistido en la necesidad de que los padres adoptivos hablen con sus hijos, les ayuden en las dudas, las incertidumbres y los malestares que esas dudas puedan ocasionar, y que les acompañen en el proceso de construcción vital como ser único e irrepetible, que conocerá a otra persona con la que construirá otra familia.

Construir otra familia. Ser hijo adoptivo y padre/madre

Como ya se ha comentado en capítulos anteriores, cuando se decide formar una familia se plantean ciertas cuestiones que pueden resolverse observando los propios referentes. ¿Cómo vivieron esos padres la paternidad? (¿cómo decidieron tener hijos?, ¿cómo se plantearon la adopción?, ¿cuáles eran sus ilusiones?, etcétera); ¿cómo han sido como padres?; ¿qué cosas les han gustado como hijos?; ¿qué no les ha gustado tanto?... En todo caso, cuando uno ha sido adoptado y se plantea tener hijos, experimenta sensaciones y tiene pensamientos que otros no tendrán precisamente por la condición de ser adoptado. Es un momento importante de la vida en el que se encuentran en el mismo punto en el que se hallaron sus progenitores biológicos. ¿El mismo? No exactamente, pues la experiencia de haber sido abandonado influirá en la visión que tienen de la paternidad, de la relación paterno-filial y de la vida. Puede que decidan tener hijos biológicos o adoptivos o ambos,

pero seguro que el sentido que le dan a la figura de padre o madre será más meditado, y por tanto, más matizado y valorado que el de una persona que no fue adoptada.

En el caso de las personas adoptadas, el hecho de plantearse la paternidad biológica tiene un aspecto importante más allá de la necesidad de trascender: experimentar algo que sus padres biológicos decidieron interrumpir cuando ya eran padres, por el motivo que fuera. Las emociones afloran y los planteamientos relacionados con ser padre y lo que ello significa se concentran en la mente. Vuelven a aparecer las ideas de cómo pudieron llegar a abandonarlos, de cómo sus madres biológicas vivieron el embarazo siendo ellas ahora las que están embarazadas. Cada sensación nueva les puede generar un interro-

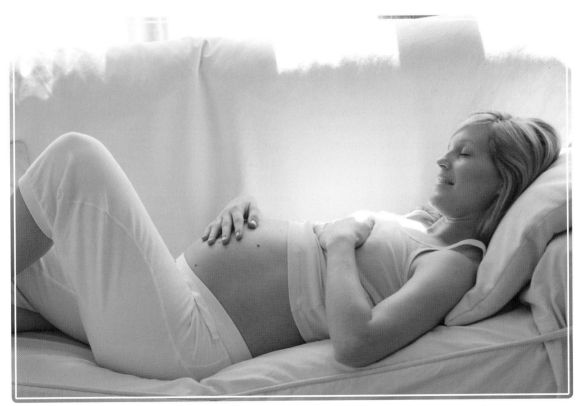

En el caso de las personas adoptadas, el hecho de plantearse la paternidad biológica tiene un aspecto importante más allá de la necesidad de trascender. En esta situación, las emociones afloran y los planteamientos relacionados con ser padre y lo que ello significa se concentran en la mente.

gante en relación con los orígenes. En la gran mayoría de los casos, esos orígenes se desconocen y en pocos se tiene un contacto con ellos. Raramente se establece una relación con los padres biológicos que permita resolver esos interrogantes que ahora ellos, que están a punto de ser padres, se plantean.

El hecho de ser padre o madre tras haber sido adoptado permite que uno pueda, quizás con mayor facilidad, tener presente los derechos que tiene un niño, e intentar que las angustias pasadas no sean vividas por los propios hijos. Eso cobra especial sentido si la decisión es ser padre adoptivo. En esa ocasión le será más fácil ponerse en el lugar de su hijo, ser empático, puesto que él también fue hijo adoptivo y sabe lo que ello significa. Y quizás ese sea el principal motivo por el que se tiene la motivación de adoptar, para poder darse la oportunidad de vivir, ahora como padres, aquello que costó entender de pequeños, reconociéndose en ese hijo adoptivo.

El hecho de conformar una familia mediante la paternidad biológica y adoptiva a la vez puede conllevar cierta diferencia, pues la relación paterno-filial biológica no fue vivida y sí en cambio la adoptiva. Ello no tiene por qué ser algo negativo, sino simplemente una diferencia entre algo nuevo (relación biológica) y algo ya conocido (relación adoptiva).

Sea como fuere, ser padre es un proceso que conlleva un vínculo afectivo con un hijo al que se le debe fomentar la seguridad de que, pase lo que pase, no solo no se le va a abandonar, sino que también se le va a acompañar para que se construya como persona.

Los padres que son hijos adoptivos deben haber crecido en su seguridad y autoconfianza, porque ahora serán ellos los que tengan que transmitir esa seguridad y confianza a sus propios hijos.

Ahora son ellos los que se encuentran en el otro extremo de los lazos afectivos, en el papel de aquel que tiene que fomentarlos de forma sana y segura, como sus padres adoptivos hicieron a su vez con ellos. Y también ahora se trata de estar dispuesto a poder responder a las preguntas que ese hijo plantee sobre su propia historia.

La vejez

En la vejez, el trabajo debe estar ya hecho. Si, como se explicaba en el capítulo anterior, la identidad puede equipararse a una narración, la historia que cada cual se cuenta sobre sí mismo sobre quién ha sido, sobre quién es y sobre cómo se anticipa a sí mismo en el futuro debe estar completa cuando se llega a la vejez. El libro se termina, y quedan los retoques para que el producto final sea satisfactorio. Durante la vejez se revisa capítulo a capítulo, se reescriben algunos fragmentos y se intenta poner orden a lo que quede pendiente del pasado. Para que este proceso culmine con éxito se debe poder llegar también a una resolución final sobre lo que implica el hecho de ser adoptado en el contexto general de la propia vida, y se deben tomar las últimas consideraciones sobre la necesidad o no de buscar supervivientes de la familia biológica y mayor información sobre los orígenes. De todos modos, no es importante que la persona contacte o no con esos orígenes, que haya visitado su país de procedencia o no, que haya encontrado o no supervivientes. Lo importante es que la explicación que la persona se da sobre todos estos temas sea coherente y que le permita vivir en paz y anticipar la muerte de la misma manera.

Decíamos que el libro sobre la propia vida debe ser coherente, estar integrado, sin vacíos de contenido. Todo dicho, todo aceptado, sin vacíos de significado, sin fracturas en la narración de la historia. Solo así puede llegarse a la etapa final de la vida con los deberes hechos. Solo así se puede disfrutar plenamente de la vejez.

Bibliografía e índice

Bibliografía

Bowlby, J., *El apego*, Paidós, Barcelona, 1969/1998.

Bowlby, J., *Attachment and Loss: vol. 2. Separation and anger*, Basic Books, Nueva York, 1973. Pacheco y Boadas, 2011.

Brodzinsky, D.; Schechter, M. y Henil, R.M., *Soy adoptado. La vivencia de la adopción a lo largo de la vida*, Random House Mondadori, Barcelona, 2002.

Corbella, S. y Gómez, A. M., *Características de las familias adoptivas que facilitan la adaptación y consideraciones sobre los aspectos facilitadores de la integración. Aloma: Revista de Psicologia, Ciències de l'Educació i l'Esport*, 27, 51-66, www.raco.cat/index.php/Aloma, 2010

Cyrulnik, B., *Los patitos feos*, Gedisa, Barcelona, 2002.

Dalen, M., *International Adoptions in Scandinavia: Research Focus and Main Results*. En D. Brodzinsky & J. Palacios (Eds.), *Psychological Issues in Adoption: Research and Practice* (pp. 211-231), Praeger Publishers, US, 2005.

Dallos, R., *Attachment Narrative Therapy: Integrating Narrative, Systemic and Attachment Therapies*, Open University Press, UK, 2006.

Garcia, G. y Pacheco, M., *Apego adulto en mujeres adoptadas: un estudio de caso sobre su relación con la construcción de la identidad. Aloma: Revista de Psicologia, Ciències de l'Educació i l'Esport*, 27, 211-243, www.raco.cat/index.php/Aloma, 2010.

Ger, S., *Adopción y hermanos. Preparar la llegada. Revista Niños de Hoy 39*, 6-13, 2009.

Giménez Alvira, J.A., *Indómito y entrañable*, Gedisa, Barcelona, 2010.

Gindis, B., *What Should Adoptive Parents Know about Their Child's Language-Based School Difficulties?* Post-adoption Learning Center, retrieved July 16, 2003/2007. www.adoptionarticlesdirectory. com/Article/What-should-adoptive-parents-know-about their-children-s-language-based-school-difficulties, part 1-5.

Gindis, B., *Cumulative Cognitive Deficit in International Adoptees: Its Origin, Indicators, and Means of Remediation. The Family Focus, FRUA (Families for Russian and Ukrainian Adoptions)*, newsletter, Spring 2006, Volume XII-1, pages 1-2 (Part I); Summer 2006, Vol. XII-2, pages 6-7 (Part II).

Glennen, S., *Speech and Language Guidelines for Children Adopted from Abroad at Older Ages. Topics in Language Disorders*, 29 (1), 50-64, 2009.

Grosso, W., & Nagliero, G., *Adoption, Fostering and Identity. Journal of Child and Adolescent Mental Health*, 16(1), 45-48, 2004.

Guidano, V., *El sí-mismo en proceso*, Paidós, Barcelona, 1994.

Hazan, C. & Shaver, P., *Romantic Love Conceptualized as an Attachment Process. Journal of Personality and Social Psychology*, 52, 511-24, 1987.

Irhammar, M. & Cederblad, M., *Desarrollo de la identidad y salud mental en un grupo de adoptados internacionales en Suecia. Un estudio de seguimiento desde la adolescencia hasta la madurez. Infancia y aprendizaje,* 28(2), 191-207, 2005.

Lacher, D.B.; Nichols, T. & May, J.C., *Connecting with Kids through Stories: Using Narratives to Facilitate Attachment in Adopted Children,* Jessica Kingsley Publishers, UK, 2005.

Lamanna, V. & Susan, C., *The Experience of Attachment in Romantic Partners Adopted as Children. Dissertation Abstracts International: Section B: The Sciences and Engineering,* 61 (6-B), 3281, 2000.

Larroy, C., *Hermanos. Guía práctica para padres de dos o más hijos,* Temas de Hoy, Madrid, 2000.

Manciaux, M.; Vanistendael, S.; Lecomte, J. & Cyrulnik, B., *La resiliencia: resistir y rehacerse,* Gedisa, Barcelona, 2003.

Miravet, V y Ricart, E. comp., *Adopción y vínculo familiar. Crianza, escolaridad y adolescencia en la adopción internacional,* Paidós Ibérica, Barcelona, 2005.

Miró, M. T., *La reconstrucción terapéutica de la trama narrativa. Monografías de Psiquiatría,* 2(11), 8-18, 2005.

Negre, C., Forns, M. & Freixa, M., *Relaciones familiares en mujeres adoptadas adultas. Anuario de Psicología,* 38 (2), 225-239, 2007.

Pacheco, M. y Boadas, B., *¿Y si adoptamos?* Viceversa, Barcelona, 2011.

Rufo, M., *Hermanos y hermanas. Una relación de amor y celos,* Grijalbo, Barcelona, 2004.

Rygaard, N.P., *El niño abandonado. Guía para el tratamiento de los trastornos del apego,* Gedisa, Barcelona, 2008.

Siegel, S., *Su hijo adoptado. Una guía educativa para padres,* Paidós, Barcelona, 1992.

Siegel, D. J., *Apego y comprensión del sí mismo: ser padre pensando en el cerebro. Revista de Psicoterapia,* 61 (61), 29-41, 2005.

Siegel, D. J y Hartzel, M., *Parenting from the Inside out: How a Beeper Self-understanding Can Help You Raise Children Who Thrive,* Penguin Putnam, Nueva York, 2003.

Solórzano, E., Pacheco, M. y Virgili, C., *Parentalitat i resiliència en l'adopció. Aloma: Revista de Psicologia, Ciències de l'Educació i l'Esport,* 27, 117-139, www.raco.cat/index.php/Aloma, 2010.

Otras publicaciones

Comellas, M. Jesús, Nietos: instrucciones de uso, Larousse Editorial, Barcelona, 2010.

Giner Llenas, Marc, *Mi hijo aprende jugando,* Larousse Editorial, Barcelona, 2010.

Grandsenne, Ph., *Ñam-ñam. Mi bebé come bien,* Larousse Editorial, Barcelona, 2008.

Rufo, M.; Schilte, Ch., *Zzzzz. Mi bebé duerme bien,* Larousse Editorial, Barcelona, 2008.

Rufo, M.; Schilte, Ch., *Gugu-tata. Mi bebé ya habla,* Larousse Editorial, Barcelona, 2008.

Rufo, M.; Schilte, Ch., *Snif-snif. Mi bebé ya no llora (tanto),* Larousse Editorial, Barcelona, 2009.

VV.AA., *El bebé: instrucciones de uso,* Larousse Editorial, Barcelona, 2008.

VV.AA., *Padres,* Larousse Editorial, Barcelona, 2008.

Índice